o transmi
arte, por ningú

Armando de Armas

CARGA DE LA CABALLERÍA

editorial el almendro

Non veni pacem mittere sed gladium.

(No he venido a poner paz sino espada).

Mat. 10, 34.

... pues el arquetipo estaba dispuesto
desde hacía mucho
y sólo esperaba el tiempo de manifestarse.

Carlos Gustavo Jung.

A Mimí. A mi madre, a la memoria de mi padre. A Andy, Amanda, Armando y Ariadna; también a Andy Armando, Omar y Angelina.

Lo relativo
(prólogo en la prehistoria)

Era el Hombre del Neolítico, y caminaba errante por aquella planicie de polvo barrida por el viento. Era el futuro creador de la bomba atómica y la contaminación ambiental (en verdad era ya una entidad altamente contaminante), del stress y los sedantes químicos, de la demagogia, las intrigas políticas, el exterminio en masa y los pactos militares. Pero, más que todo, era Rey sobre los animales; título que le otorgaba una rama de árbol terminada en afilada punta de piedra como prolongación de sus manos.

Había perdido el rastro de su tribu. Estaba cansado. Sudoroso. El pelo y la barba hirsutos, habitados por legiones de insectos. Se sentó en un promontorio de piedra. Tendió la vista hacia la línea donde la tierra y el cielo se unen, y se preguntó, más bien se inquietó, por qué nunca era posible llegar hasta allí. Miró la llanura y la encontró monótona, no que la encontrará, sino que la sintió. Entonces bajó la vista a sus pies, y, sorteando entre grietas y desniveles corría la hormiga, ya con inusitada rapidez, ya lentamente; unas veces a la derecha, otras a la izquierda, otras en círculos concéntricos. Sin un objetivo aparente. Obedeciendo al caos, o al caos dentro del orden; toda instinto. Pequeña en relación al hombre. Igual en tamaño a los insectos que habitaban al hombre. Inmensa en relación a otras existencias sólo mostradas por el microscopio, muchísimo después, a sesudos investigadores en sus laboratorios y a alegres papanatas en feria de colorines.

El hombre la observaba y, paradójicamente, presintió que era a su vez observado; fue algo así como un ligero escozor en la nuca. Cazador nato. Giró la cabeza. Nada, excepto la llanura; y remolinos de polvo. El viento frío le cortó el rostro y un ave le cagó encima.

Incómodo, intentó dar caza a la hormiga con una ramita seca y punzante; sabía que no podría pero era su modo de relajarse. La hormiga huyó. La buscó. La cercó con las manos; unas manos como garfas.

Tuvo entonces la certeza de que era vigilado. Se incorporó con un salto de tigre. Tomó la lanza; lo librara de todo mal. El cuerpo encorvado; fiera al fin. Mirada al acecho. La llanura le vino encima; el enemigo no apareció. Se acuclilló y comenzó a buscar a la hormiga; ahora sí, en serio. La encontró y preparó el pulgar para aplastarla contra la piedra... La muerte le llegó sin saber de dónde. Ni siquiera supo que moría. Fuerza imprevisible. Rápida en el matar; creada para matar...

* * *

Milenios después los científicos no cesaban de admirarse ante el cadáver de aquel Hombre del Neolítico; petrificado sin relieve, lanza incluida, en una roca como el cristal. No podían entender qué arma era capaz de producir una muerte así en época tan remota, y muchísimo menos entender el tipo de sustancia en que se conservaba el cuerpo, calcinado, pero nítido como en una fotografía digital.

Escrito en la ciudad de Cienfuegos, a mediados de 1988.

Réquiem por el Rey

A Reinaldo Arenas en las antípodas del tiempo.
Caballero gallardo, éste sí; con tacha pero sin miedo.

Intentaba introducir el índice en el ano a la anoréxica. Era un ano aéreo, un círculo incapturable; el cero, y el infinito. ¡Deja que te coja zorra!, rezaba recio, pero ni con eso, no se concretaba el cabrón y el dedo iba a su vía; agujereaba el aire con una perseverancia digna de mejor causa, de mejor culo.

Afuera cabalga el puro, no el puro de la patria, asere, sino mi puro, y acierta con la lanceta en la carrera de cintas; reminiscencia del Caballero Cifar, cifarra de los guachos que son guapos; y eso asere que el puro está curda, ¡clase caballero que es el puro! Yo también estoy curda, consorte. El puro y yo somos dos curdas, curvas en el Tiempo.

En tanto cazo al culo utópico de la anoréxica (no excreta ni incorpora y para colmo huele a rosas) el andrógino anda en mi entrepierna, chupa el pito con esmero de ternero; las tetas le arrastran por la barra, los uváceos pezones enchumbados en alcohol. ¡Ah, se me olvidaba, estamos los tres sobre la barra de un bar neblinoso! Acá no hay nadie, o al menos no se ve a nadie, ni en las mesas ni al otro lado de la barra. No tengo ni puta idea del tiempo que llevamos encaramados como monos en la barra. Este es un bar de Miami o de Madrid, tal vez de New York, o si te apuras un poco hasta de La Habana.

El andrógino se incorpora con la izquierda aferrada al falo, guerrero con un puñal, y con la derecha me pone una teta tremenda en la boca; el alcohol asumido en la barra gotea por el pezón, paso la lengua larga, filosa, y el alcohol no sabe a alcohol, cuando más a agua mineral Ciego Montero. El culo de la anoréxica ejecuta una cabriola en el aire. El puto pito, parado a partirse, cabecea como majá entre los dedos del guerrero; no siento nada especial, no siento, siento un frío en los cojones; eso, eso es, un frío, un aire, un puñal de aire, de esos que eficaces llevan caja de aire por dentro para la hemorragia interna; sólo que este es puñal vuelto del revés, el frío aire por fuera, y el filo por dentro; o tal vez sucede que el puñal es todo aire; un falo de feria, de fe, de fumbi.

En esa cochambre, consorte, recholata en lata, nos encontrábamos los tres cuando apareció Rey disfrazado de pirata, Francisco Naou el Olonés, hecho una furia. Traía dos enormes pistolas plateadas de chispa, las cachas trabajadas en motivos ornamentales franceses, cruzadas a la cintura bajo un ancho cinto. Extrajo ambos artefactos, los dos a un tiempo, y estilo ejecución acertó con la siniestra un tiro en el culo a la anoréxica, y con la otra, también siniestra, acertó un tiro en la cabeza al andrógino. ¡*Putas perversas*!, dijo Rey, y me convidó a una botella.

Entonces despegué los ojos salpicados de sangre, o de una sustancia similar, y me corrí ligero debajo de los fumbis fulminados.

Rey puso la botella sobre la mesa. Era aguardiente Coronilla, pura y dura de nueve pesos. No sé si la pidió a alguien, menos si la pagó. Sólo sé que allí estaba la botella erecta como un soldado entre los dos. *Soy Carlos el Chacal*, dijo, e hizo puaf y escupió lejos, tan lejos que el gargajo no cayó, se sostuvo en un gajo invisible, orbitó transmutado en un pequeño planeta color violeta. *No asere, en serio* (agregó realmente serio); *acabo de escapar del Parque Lenin, de Lenin, de una redada de Avispas Negras, o sabe dios de qué increíbles insectos. Asere si no llega a ser por las hermanas Bronté que me cubren la retirada con fuego de lanzallamas me cogen los bugarrones esos bitongos del avisperío; ¡avemaría purísima pa qué te cuento consorte! Oye, asere, y eso que la Jíbara Inglesa pinta a las Bronté como aladas locas de atar; si las viera disparar con los lanzallamas, diezmar despiadadas al bicherío avisperil, pueril y borreguil, mientras yo escapaba como un guineo por sobre las alambradas y el hambre, hampón heroico; si eso viera otra cosa pintaría la Jíbara Inglesa.*

Era Rey, bueno, algo me decía que era Rey, pero en verdad parecía Hemingway; o un americano cualquiera. Era alto, robusto, rubio, rubicundo. Yo esperaba encontrarlo enclenque, minado por la plaga; pero no, hete aquí que lo tenía ante mí pletórico de salud y suerte, bebiendo como un granjero granuja del medio oeste. Claro que en el fondo yo sabía que entre Rey y Hemingway había, más allá de las diferencias evidentes, y de las semejanzas evidentes (las del último acto y las de la pluma y la página como premisa primera) una comunión en el enfrentar, vivir, la vida hasta el precio postrero, en la perenne pelea, en la perenne huida de algo o de alguien hacia cualquier parte, en el ofrendar y ofender de las vísceras como materia prima literaria; y sobre todo, me decía, en tanto la línea de flotación bajaba en la botella, en tanto Rey gesticulaba desenfadado contándome los pormenores de la fuga, todo fuga y fuego él; sobre todo, en la manera de asumir el sexo. ¿En la manera de asumir el sexo, tú estás seguro asere o tú estás borracho? Sí asere, seguro; mira, en el desenfreno por incorporar varones de Rey probablemente no hay más que el inconfeso deseo de manifestar su varonía, de ser varón total; y en el desenfreno por penetrar féminas de Hemingway probablemente no hay más que el inconfeso deseo de manifestar su feminidad, de ser fémina total.

La botella estaba ya casi vacía, yo no sé si se salía, o si en verdad tomábamos; si estábamos lúcidos o aletargados. El caso es que salíamos abrazados, más que nada de la botella, cuando Rey enfurecido empezó a abrir desmesuradamente los ojos, a mover desacompasadamente las manos y a señalarme para su frente, gritando. *¡Coño, qué es esto, mira esto consorte, cabrona crica!* En efecto, allí en la frente, bajo sus crespos alborotados, ya no hemingweyanos, sino arenianos, le había salido como la estrella que ilumina y mata, como un estigma, como un enigma, una crica supurante y peluda. Sin darme oportunidad a nada sacó sus dos enormes pistolas, que había recargado mientras hablábamos en la mesa, y se descerrajó dos disparos a un tiempo en la crica que crecía desafiante en su frente, y cayó hacia atrás desfrentado, es decir, descabezado, es decir, descricado. La crica, ya sin frente, flotó en el aire, cliqueó en una lejana computadora, y habló fañosa como un robot de circo: *Yo Soy la que Soy, la Supercrica, la bien amada y mejor mamada, matona y maternal.*

Afuera los fumbis, felices y afiebrados, celebran al puro que había acertado otra lanceta en la carrera de cintas. El puro avanza hacia el bar, o lo que fuese aquello, abrazado a la anoréxica y al andrógino otorgados a él como trofeos. Salgo a su encuentro por entre los fumbis y las fumarolas y las flamas que queman sin quemar, sin consumir, y en la medida que nos acercamos o nos alejamos, acá nunca se sabe, aprecio que se le ve tan joven y jodedor y jactancioso como alguna vez yo lo fui.

Escrito en la ciudad de Miami, 1 de enero de 2001.

Yo creo que ya se fueron

A Ricardo Bofill Pagés, que tuvo ojos para ver.

Yo creo que ya se fueron. Hace ya que no vienen, aunque, la verdad, no sé, nunca se sabe, creo un poco he perdido la noción del tiempo (ese elástico insondable); del tiempo y del espacio. ¿Habrán Ellos perdido el interés en mí o habrán cambiado la Técnica?; para ellos la técnica es siempre con mayúsculas, muestran un exacerbado culto no sólo por la técnica, sino también por las mayúsculas; Ellos, los mayúsculos.

Así, el picardo de la grabadora pudiera no ser más que el enviado de la nueva técnica, una combinación de sofisticado artilugio y halagos al ego, saben su faena, para que me suelte y sea locuaz, mezcla perfecta, quién se resistiría al ego y a su halago, por un lado, y a la sofisticada técnica, por el otro; más tratándose de alguien como yo, alguien que maneja eso que llaman las ideas; el negociado de las ideas... las ideas...

Por las ideas estoy aquí, donde quiera que esté, por ellas he muerto, medio muerto, morir por la patria es vivir, muela, morir por la patria es exactamente eso, morir, entender eso, hacer entender eso, más bien, hacer entender que proclamar eso, la muerte como mérito, mérito en sí, no es siquiera decente; en un país con un himno nacional que es un canto a la degollina, un país que celebra más las efemérides de las derrotas que las efemérides de las victorias; si en algo he contribuido a cambiar eso, entonces tal vez tenga razón el bergante de la grabadora y habré pasado a la historia; a la histeria, que es lo mismo.

Las ideas; mi madre decía, esa cosa de las ideas, hijo, es asunto peligroso; cada día me acuerdo más de la vieja, la valoro más; en la cárcel aprendí que ella, tan simple, tenía razón, que yo, tan leído, tan poseído de pesados argumentos, era apenas un aprendiz; supe que su sabiduría era superior a todo lo que uno pudiera haber aprendido en tanto mamotreto. Murió estando yo en presidio y nunca pude decirle, *¡qué razón usted tenía vieja!*; y mi padre, un hombre práctico, dirigente obrero de base que quería para mí estudios de contador público o algo así, murió también, tiempo después mientras yo seguía en la cárcel; soñé la muerte de ambos antes de que ocurriera, creo en los sueños, en los espíritus y hasta en las hadas, ¡quién lo iba a decir, yo, tan materialista en otra época! Éramos cinco de familia, la familia se fue a bolina; de cinco sólo quedo yo, si es que esto es quedar, si es que éste, o esto, soy yo.

Uno ahora edulcora las cosas, pero en verdad eso del Comité del Derecho de Gentes fue siempre algo etéreo, algo más bien en la mente, y si te descuidas hasta en el corazón; un grupo de amigos inconformes con el ambiente provinciano y represivo que nos había tocado en suerte, y por qué no, también el deseo de destacarnos, de ser tenidos en cuenta; para que se me entienda, alguien con este nombre, Bartolomeo, y además, flaco, feo, mal encabado y peor vestido, y sin la aureola del héroe en un país de héroes, tenía necesariamente que carenar en la cultura, en el terreno de las ideas, para intentar el esquivo favor de las féminas (¡hasta que apareció Yolanda, dónde andará Yolanda ahora!); uno pudiera hablar del sacrificio por la libertad, etc., etc.; hablar de que uno diseñó una estrategia sutil que llevaría inexorablemente a horadar la brecha en el muro, pero no, la cosa es mucho más simple, mucho más humana, y de eso se trata, de llevar las cosas a su justa dimensión humana; irónicamente esa fue la clave de nuestro éxito, para un régimen erigido sobre la fuerza y la planificación mismas, eliminarnos iba a resultar tan complicado como matar mosquito con cañón; Confucio dijo. ¡¿lo dijo?!...

¿Cuántos años de cárcel me ha costado todo este chiste de las ideas? No sé, ni siquiera sé si alguna vez pude salir de la cárcel; comoquiera, lo cierto es que siento, como siempre, esa otra cárcel del cuerpo, ese desencuentro, esa isla dentro de la isla, esa cárcel dentro de la cárcel; sólo huecos, hendijas a través de los cuales atisbar, intentar establecer alguna especie de precaria comunicación con otros seres tan encerrados como uno en sus islas y cárceles duales.

...patios, patios llenos de plantas, olor a cañasanta y yerbabuena, patios interiores más o menos desvencijados, casas un tanto descuidadas, juegos de luces y sombras entre tupidas enredaderas, lagartos soñolientos, flores, abejas obesas, la brisa fresca, una hamaca tejida, una voz, la voz de mi madre, una canal oxidada alrededor del techo colonial que recoge el agua y la lleva a un estanque para lavar, un agua espumosa, burbujas en la descomposición de la luz, olor a jabón, el repiquetear de la lluvia en la canal durante los aguaceros del mediodía, y después el lento discurrir de las aguas durante las noches, discurrir de las aguas y las ideas, discurrir de las noches y los días y las aguas, el agua goteando en el estanque, un pez amorfo en el estanque, yo-pez en el estanque, un universo confuso y confortable, un añorar la calle, escapar más allá de donde canta un gallo y se oyen los pregones, más allá de risas lejanas y un toque de tambor, un detestar este mundo monótono y probablemente feliz, un deseo de irme alto y lejos, mi madre llamándome, voces, voces, voces... Lacret 564...

¿Habré vuelto a la infancia, a la casa de la infancia, o permanezco en la cárcel y esto no es más que decorado, efecto, esmerada técnica preparada por Ellos para reblandecerme? Ellos tenían, necesariamente, que declararme loco, y darme tratamiento de loco; tratamiento eléctrico. Estaban obligados, no por maldad, sino por lógica, lógica inexorable; pura y dura racionalidad. ¿Cómo podían Ellos permitir que alguien cuerdo hiciera oposición al paraíso?; por supuesto que al paraíso sólo podían oponerse los locos. Cualquier infeliz que negara el paraíso tenía que estar más loco que una cabra (valga aquí, como nunca, la connotación demoníaca de la cabra); más si esa persona era un proletario, puesto que el paraíso era el de los proletarios; y muchísimo más si esa persona, como yo, era un intelectual; un intelectual, se supone, es inteligente, y nadie inteligente, sabedor del sentido inexorable en que se mueven las fuerzas de la Historia, podía atentar en su sano juicio en contra del progreso; del paraíso.

El trabajo me lo hacen cuatro mecánicos sociales y un jefe, Madrazo, creo, un hombre de edad indefinida, color cetrino, ojos hundidos, y una sonrisa de vendedor de pasta dentífrica a domicilio, siempre con una bata blanca, impecable e implacable, un tipo atildado, un técnico, un profesional en toda la extensión de la palabra, de palabra precisa en las órdenes impartidas a sus subordinados, cumplidor de su faena con eficacia científica, nada personal; mucho menos pasional...

Oigo pasos; lentos y lejanos primero, atropellados y cercanos ahora; abren la reja; ya me toman y me levantan, ya me tiran y me atan; Madrazo sonríe todo albo en tanto los mecánicos conectan la dínamo, cablería multicolor, me desnudan, me ajustan las correas olorosas a carne quemada, ¿!o es una simple predisposición!?, y me ponen los electrodos en el pene; la cabeza me quiere estallar, se calienta sola, y cuando llega la primera descarga es un dolor punzante, un dolor en las entrañas, una cabeza todo dolor, una cabeza, un dolor, una aguja muy larga entrándome por la espina dorsal hasta la base del cráneo, una estocada eléctrica atravesándome, arco, soy un arco eléctrico, luminiscente y azul, yo todo luz, lucifer, el-que-porta-la-luz; los músculos, mórbidos, se me desmoronan, saltan sobre los huesos, tengo náuseas, convulsiono... siono... siono... siono... ono... ono... ono... me voy, caigo en abismos insondables, oscuridades sin cuento, y cuando regreso en mí, no sé cuánto tiempo ha durado, el tiempo y sus jugarretas, Madrazo y sus mecánicos se han marchado, permanezco en el piso frío, me revuelco humillado en un charco de orina y heces, efecto colateral eléctrico, los músculos ahora están rígidos... rígidos... rigor mortis...

Pero el dolor no para ahí, es un dolor demorado, extendido no sólo en el cuerpo sino en el tiempo; no físico, aunque también físico; un dolor de desamparo, un dolor de soledad, una espina espiritual clavada; lacerante sensación de daño irreparable. La rigidez sigue, me han hecho de cartón, cartón piedra, quebradizo todo; impotencia, impotencia de todo tipo; la dentadura corrida, los dientes se me caen, el otro día dejé un colmillo clavado en un mango, ¿un mango metafísico o un mango real?; el cabello desaparece, el poco que tengo, tengo, vamos a ver, tengo pesadillas, y tiemblo, yo-sólo-tiemblo... yo creo que ya se fueron...

**Escrito en Miami,
13 de noviembre de 2002.**

Mario Marcel a las puertas del cielo

Llevaba mil años matándose. No era una cadena de suicidios en el tiempo; mejor, nada que ver con la cadena de hogueras que anunciara al verdugo Giordano Bruno; al menos eso creo. Me llamaba a cada rato con el mismo cuento, había decidido matarse, la vida era una mierda y esta vez sí iba en serio; jeremiqueaba un poco del otro lado de la línea, sollozaba, se sonaba los mocos, y hacía un silencio embarazoso, como si pidiera perdón por su dolor o como si intentara hacerte sentir culpable por su dolor. Entonces yo le aplicaba terapia antisuicidio, la que en mi escaso trato con potenciales suicidas había mostrado ser infalible; hasta que apareció él.

Un día me habló por teléfono una voz grave, pero aniñada, o que aparentaba ser grave por aniñada, y dijo en tono declamatorio: *¡soy el escritor Mario Marcel, amigo de Arturo y de Marcial!*; le pregunté por joder qué Arturo y qué Marcial, y contestó hecho un ovillo en la línea: *sus amigos de Cienfuegos... ¡los escritores...! Yo no tengo amigos pencos, escritores tal vez sean, pero no amigos, bueno, tal vez también sean amigos; ¡y a ti qué te pasa! No yo... acabo de llegar al exilio y ellos vaya... dijeron podía contar con usted.*

Me le aparecí una tarde a la iglesia donde lo habían acogido en Kendall. Llegué en el Intrepid de cristales oscuros atestado con un cargamento de camisas Lee; le regalé cuatro y le dije que efectivamente podía contar conmigo para lo que fuera. Él se asustó un poco; o se impresionó. Yo en aquel auto negro, las Ray Ban negras, la gruesa cadena de oro con Santa Bárbara bailándome en el pecho, destellos al sol de Miami, y para colmo el cargamento de camisas; debí representarle el personaje exacto de la leyenda que sobre mí corría en Cien-fuegos, reafirmarle mi aura de contrabandista, de fuera de ley con suerte, alimentada por mí, cierto, pero también por el hecho de haberme fugado espectacularmente una vez de la cárcel, y después más espectacularmente aún de la isla. Ese proceder me daba categoría de héroe; como si huir fuese una heroicidad. En un país de víctimas y derrotados a la gente le gusta fomentar la historia de tipos elegidos y triunfadores, y uno llega a creerse la historia, y la agranda; para alimentar el ego y olvidar que uno es una víctima y un derrotado más.

El ego y sus compensaciones son un problema, ahora mismo si no me contengo acabo escribiendo más sobre mí que sobre Mario; un adolescente asustado (estaría en los 20), torpe como suelen ser los adolescentes, pero más, estaba especialmente marcado por la torpeza (¡estaba marcado!); a la búsqueda de protección o de algo a lo cual aferrarse, o de quien fiarse, o qué sé yo; buscaba tal vez alguien que le prestase un poco de atención, que oyera sus desvaríos, porque desvariaba; buscaba, pedía demasiado, egoísta como todo adolescente; y le aparecí yo.

Pensé no iba a llamar más; pero al otro día sonó el teléfono y era él, le gustaría conversáramos un poco, de literatura o de lo que fuera, pasará si podía por la iglesia. Le dije ese día estaba complicado, que probablemente estaría complicado toda la semana, el tiempo era de pinga en Miami; pero, en fin, vería.

Fui a verlo la próxima semana, y confiado o resignado me hizo pasar más allá del parqueo de la iglesia que era algo así como un complejo eclesial que incluía la iglesia, una escuela secundaria, una clínica, un edificio de oficinas, apartamentos estilo cabañas, y varios acres de terreno de árboles centenarios, pequeños lagos, riachuelos, fuentes y cascadas, santos y serafines. En fin, el paraíso.

Me ofreció vino apenas entrar al pequeño apartamento, en un estudiado desorden total de libros y ropas y disquetes de computadora; había comprado una botella para cuando yo viniera y podía sentarme en la cama o el piso o donde yo quisiera. *Empezamos a entendernos*, dije. Me contó era monaguillo (no pude evitar preguntarle si el vino que me brindaba se lo había afanado del Cáliz y contra lo que esperaba se rió como un condenado) y le pagaban $250 semanales por ayudar en las misas y hacer el boletín de la parroquia; más techo y comida. Era hijo de un prominente líder laico en la isla y su vida entera había girado en torno a la Iglesia Católica.

Cuando salió del Servicio Militar se había unido al grupo de intelectuales disidentes y de locos, ¡sobre todo de locos!, que constantemente me recordaba y contaba mis anécdotas, aseguraba, y que por eso me consideraba también su amigo; él había llegado al grupo muchos años después de yo haber escapado, y junto a ellos un poco se formó en un estilo de vida y un pensamiento fuera de la iglesia por un lado y del comunismo tropical por el otro; no conocía a mis otros amigos los chicos malos (*¡te perdiste lo mejor!* y sonreí sarcástico tras la copa); aunque sí a Roly el Jabalí, le habían dicho era mi panga juramentado (me asombré emplease panga y juramentado).

Media botella de vino más adelante me habló de su jeva, una Jenny o Janni o Jana o vaya usted a saber qué; estudiaba medicina y era el amor de su vida. Pensé en lo lapidarios y enfáticos que suelen ser los adolescentes; sobre todo si aspiran a poetas o algo así. Entonces me puso delante una caja de zapatos atada con una liga y atestada de fotos; y allí estaba el amor de su vida con las tetas al aire en muchísimas instantáneas, unas tetas increíbles; por lo grandes y lo lindas y lo duras que se adivinaban. Le aseguré que por chupar unas tetas así yo era capaz de invadir Cuba, se sonrojó y dijo haberla puesto a hacer tortilla con otras tan ricas como ella; *bajo esas circunstancias*, declaré eufórico, *no sólo invadiría la isla sino la ocuparía*. Después Randolfo (bastante perspicaz) me diría que la presunción orgiástica de Mario Marcel no era otra cosa que un intento desesperado por estar a mi altura.

Con los ojos enrojecidos por el vino me dedicó su libro de relatos *Mario en la puerta del cielo y otros cuentos suicidas*. No recuerdo qué puso en la dedicatoria, pues he perdido el libro como he perdido los poemas y cuentos, y hasta dos capítulos de una novela en que el protagonista Mandy, es decir yo, huye en calzoncillos de un enfurecido coronel de la Seguridad del Estado que lo persigue a tiro de pistola Makarov al encontrarlo singando con su mujer. Mandy escapa borracho y al saltar la cerca de la mansión del comunista se encaja los picos y culos de botella que el combatiente ha plantado en el concreto de la cerca, para proteger su propiedad de los enemigos del pueblo; y con los tendones y las palmas de las manos alanceados, convertidos en masa informe, sangroso masacote de plastilina, llega y toca a la puerta de Olaf Rufián que se encuentra en compañía de Arturo y Marcial; todos borrachos en chispa de tren que le vierten directamente de una empañada botella a la boca y a las manos, ¡en igual proporción!, para aliviar el dolor y desinfectar las heridas del vidrio. Dicen que La Puta de Harvard se ha quedado con los originales de todo eso, incluyendo poemas y relatos en inglés (yo le criticaba por escribir en inglés con el argumento de que ya es demasiado difícil hacerlo en el idioma materno, ¡pero olvidaba a Nabokov!).

Ese día me percaté de su vocación suicida; no sólo por el título del libro y su contenido, 7 excelentes relatos en los que el rockero Mario, él mismo, se suicida 7 veces de las más extravagantes maneras, en verdad 7 tratados sobre el suicidio que configurarían algo así como el manual del perfecto suicida; sino también, y sobre todo, por un cierto desentono o desencaje con la realidad, lo cual era para mí un síntoma inequívoco de inteligencia, pero sin las agallas suficientes para soltar lastre y afrontar las consecuencias.

En esa primera conversación vinácea creo que se estuvo lamentando de la soledad en aquella iglesia, del trabajo que hacía y del salario que recibía, de su deseo de valerse por sí mismo sin el tutelaje eclesial. Le contesté lo pensara bien la calle estaba dura, no fuera a pensar que todo el mundo llegaba y empezaba a ganar $250 semanales por realizar tareas que de alguna manera tenían que ver con su vocación, muchísimo menos con techo y comida y tiempo para la obra literaria; qué coño pensaba él que era el exilio.

No recuerdo la primera crisis, fueron muchas y para colmo le habían nombrado consejero espiritual de los jóvenes de la diócesis con tendencias suicidas (los curas tenían que estar ciegos para no ver que aquello era como darle la llave al ladrón, la llave del cielo o del infierno o qué sé yo), y en una de las sesiones terapéuticas había terminado por repartir a cada hijito de papá un ejemplar de su libro y al cabo de tres días uno de ellos, ¡probablemente el único que tenía hábito de lectura!, se reventó el cráneo de un disparo. El episodio, como si no tuviera bastante, acabó por aumentar la frecuencia de sus crisis.

A veces sonaba el timbre a las tres de la madrugada y era el hombre con el mismo barretín, no quedaba otra opción y le aplicaba terapia antisuicidio, se matara de una buena vez si iba a matarse, no jodiera más, ya me enteraría en los noticiarios, si es que lo ponían, o no me enteraría y al carajo. No siempre era tan drástico con él; dependía mucho de la hora, de mi humor o inclusive de la causa que el mamalón escogiese para el suicidio.

En la medida en que lo introduje en el grupo de amigos (élite literaria miamense cuyo desempeño un crítico independiente en la isla, con mucha valentía y algo de exageración, había definido como el desfiladero de los malditos) su ánimo pareció mejorar y los alardes suicidas disminuir a algún que otro episodio lacrimoso pasado por alcohol en animadas tertulias; algo que yo estaba más dispuesto a tolerar. Hice una fiesta en mi casa y todos quedaron deslumbrados con Mario Marcel y su libro.

Los huraños Louis y Abraira (matrimonio de escritores) le dedicaron sendas reseñas literarias en los dos más importantes diarios locales; mientras las cautas Hécate y Lilith (matrimonio de escritoras) lo llevaron a su programa en la televisión y le hicieron una entrevista de lujo en un horario estelar; el calculador Randolfo no se quedó atrás, lo invitó a su espacio radial y le definió como una especie de José Martí redivivo; y hasta el parco y distante Víctor (el único de nosotros que había alcanzado cierto renombre internacional) dijo de Mario que estaba dotado de excepcional talento.

Había saltado de la nada a la fama, local, pero fama. La presentación en sociedad (digámoslo de alguna manera) de Mario Marcel había resultado beneficiosa no sólo porque se dio a conocer como escritor y aumentó su autoestima; sino también porque ya no sería yo el único en recibir sus descargas en caso de que las cosas no fuesen bien y retornarse a los episodios de crisis. Mis amigos, por otro lado, tenían muchísima más propensión que yo a sentir culpabilidad y creerse redentores; Louis y Abraira, por ejemplo, llegaron inclusive a sugerir la posibilidad de adoptar al triste efebo tan solo y lejos allá entre esos espantosos curas.

Creo además que integrarlo al grupo fue positivo para arrojar alguna luz sobre ciertas zonas oscuras o a medias reveladas acerca de la corta vida de Mario Marcel. Había hechos sobre los cuales él no fue muy claro, o lo fue pero no completamente, o sí completamente pero no de una vez, sino por partes y a diferentes interlocutores; suerte de piezas sueltas de un rompecabezas que tendríamos que armar entre todos, situados ya en un después del hecho final.

Así, a mí me había contado que antes de salir de la isla cumplió prisión en la cárcel de Ariza, acusado de propaganda enemiga debido al manuscrito de un poemario incautado por la policía política y donde los suspicaces agentes creyeron encontrar metáforas alusivas a la condición demoníaca de la figura del

Comandante en Jefe (el pobre Marcel tan imbuido de los dogmas de redención y caída); y agregó que en el talego se había comportado como un pingú. Me extrañó usase talego, pero luego Randolfo me ha dicho seguro se documentó sobre algunos giros idiomáticos para poder hablar conmigo en términos de duro argot.

Entonces al cotejar la historia que yo tenía de la prisión con la del resto, encuentro que la misma se mantiene invariable hasta el punto de su estadía, propiamente dicha, en el tanque; ahí las versiones variaron según los interlocutores, o no hubo versión; como ocurrió con Randolfo y Víctor a los que dijo prefería no tocar el tema más allá de la alambrada de entrada a ese otro universo que es la cárcel, con respecto a cualquier universo; pero a Hécate y Lilith contó que lo habían puesto en una celda con asesinos y sodomitas cocinados al fuego lento de una caterva de años; mientras a Louis y Abraira confesó haber sido vejado por esa especie de ratas de presidio, y lo más inquietante, había llegado a sentir una suerte de placer o satisfacción o vaya usted a saber qué al saberse degradado, fondo, culo, cristiano arrojado a los leones, y más inquietante aún, a veces tenía nostalgia de esa época en que nada se esperaba de él, excepto ser un bultito a la espera obediente de recibir las humillaciones; sublimaciones, dicen que decía, como de Cristo lavando los pies a sus discípulos.

Uno de esos cabos sueltos en el entretejido de su vida (que situados en el después y entre todos pudimos más o menos atar, más o menos dilucidar) fue el episodio con Monseñor Carlos Mamey del Césped; considerado por algunos como el rostro intelectual de la Iglesia Católica Cubana (había publicado una novela que no pasaba de ser un horrible bodrio plagado de lugares comunes) que a su vez facilitaba al régimen maquillar su propio rostro al permitir a un alto representante del *opio de los pueblos* salir al extranjero y decir ciertas cosillas eruditas y discrepantes a condición, no faltaba más, de que hablase de lo bueno de las inversiones para el país y de lo malos y mafiosos, ¡huy qué miedo!, que eran esos exiliados cubanos, y regresar como si nada cargado de limosnas para los pobres.

Todo parece indicar que Mario un día, sombreándole ya un esbozo de bigote y algunos estigmas de acné, fue a pernoctar a la residencia del prelado (como hacían todos los de su familia cada vez que precisaban viajar a la capital); y a Randolfo y a mí ha dicho que esa noche mientras veía televisión en la enorme y lujosa sala central apareció repentinamente por una de las puertas Monseñor Carlos Mamey del Césped y le ha manifestado tener insomnio, ¡podrían ver la película juntos!, y que intempestivamente todo tembloroso y desencajado ha comenzado amasarle la pinga y que él le ha metido un bofetón, ¡allá te va el cura al piso!, y se ha ido y dormido esa noche entre hampones en el parque de La Fraternidad.

Pero a Louis y Abraira dijo que el lúgubre avechucho ha venido y le ha toqueteado y abierto la portañuela y metido la pinga muerta en la boca sin labios, machetazo en un palo del monte dicen que dijo, y él sin saber qué hacer piensa en el bofetón y en irse al parque de La Fraternidad pero ha tenido miedo de los hampones y lo más intenta desprender al padre de su presa y éste ha dicho, sin soltar y atragantándose, en el nombre de Cristo yo te absuelvo y exorcizo, yo te libero hijo, y ha hecho la señal de la cruz con unos dedos largos y huesudos, y con la misma se ha aplicado a la faena, y la pinga se le ha parado y el pastor de almas entusiasmado, chupóptero ensonatado, se esfuerza como un condenado, y contra su voluntad, la de Marcel claro, asegura la leche le ha sacado; seca y adolorida se la ha dejado.

Mario no menciona nada del lance con el chupóptero a Hécate y Lilith; pero cuando ya todo había pasado e intentábamos acercarnos a la versión probable, las muchachas han dicho como al descuido que Víctor (que escribe pero apenas habla) les ha contado que Marcel le habría propuesto en una de sus crisis compartir la vida con él; no especificaron, ni creo que Víctor lo hiciera, hasta dónde era que compartirían; lo único claro aquí es la negativa de Víctor.

Un día Mario Marcel anunció feliz que la Iglesia le había otorgado una beca para estudiar Lengua y Literatura Inglesa en una universidad católica de Minnesota. No hubo despedida, pero cada uno de nosotros celebró en la intimidad y se sintió aliviado; no sólo por lo que había logrado Marcel en tan poco tiempo, sino porque creímos que ahora sí había encontrado un

sentido a su vida y sobre todo porque limpia-
mente nos librábamos de sus insoportables
pejigueras de suicida constante.

A partir de ese momento los acontecimientos se precipitaron. Un buen día llama y
dice se ha enamorado. *No se rían, un amor de
novela. Ella es académica de Literatura en
Harvard. Nada que ver con la idea de una
académica, deja que la vean. Su único defecto
es que es casada.*

Al poco tiempo regresó. El recibimiento fue
en mi casa. Nos presentó a La Puta de Harvard,
que aún no se nombraba así; cuando eso era
sólo la Directora del Proyecto de Intercambios
Culturales de Harvard con Cuba, y realmente
era bella, y tenía un culo que me hubiese
gustado cogerlo allí mismo delante de mi mujer
Urganda. Ella realizaba una investigación sobre
escritores cubanos, y gracias a que había
conocido a Mario Marcel podría incluir a
escritores exiliados como nosotros (él estaba
que no le cabía un alpiste). Todos encantados
con la académica, excitadísimos por el apoyo
que nos podía proporcionar; Louis estuvo

estupendo en el bosquejo de lo que había sido la literatura cubana en el exilio.

Mario le había dado ya los nombres de Arturo y Marcial, y yo le agregué otros nombres de escritores marginados por el régimen allá en la isla. En honor a la verdad Urganda, Hécate y Lilith no se mostraron nada entusiasmadas, creo apenas si le dieron la mano a su llegada; quizá por ese sexto sentido de las mujeres que los hombres deberíamos atender más.

Lo cierto es que muchísimo tiempo después se publicó el documentado estudio; pero ni sombra de nosotros ni de ningún otro escritor que no fuese un sumiso al sistema, ni que decir que Mario Marcel brillaba por su ausencia; como si no bastara ya con su otra ausencia.

A las pocas semanas de la visita a Miami me llamó una noche muy deprimido, se iba a matar, ahora, sí, en serio, ella la razón de su vida y no decidía dejar al marido; *serás maricón, chico, cómo lo dejaría (¡mucho billete entre los dos!) por un refugiado muerto de hambre; tú eres un acápite menor en su abultado curriculum vitae, objeto de estudio, infeliz chiflado, ser raro obsesionado con la muerte y otras zarandajas metafísicas; alguien para escribirle buenos poemas y singarla mejor. Es más tráela para Miami; vamos a darle lezna entre los dos, verás como se arrebata.* No sabía yo lo que era el amor y colgó.

Nada más colgarme llamaba a los otros amigos, y ahí sí la función duraba horas pues entre más ellos intentaban convencerle no se matara la vida era hermosa; más insistía él en la muerte como solución. Pasaron unas semanas y llamó de lo más animado iría a Nueva York a encontrarse con su dama (para nosotros todavía no era La Puta de Harvard; pero pronto). Ahora sí creía todas sus cuitas serían superadas. En Nueva York tenía una sorpresa; ella le esperaba con él. Cuando me llamó con el lamento bucólico pastoril le aseguré que lo único razonable que se me ocurría en este caso es que consumaran un matrimonio tripartito. Hubo un alarido del otro lado, perro herido o algo así, y oportunamente la llamada se cortó. Al poco tiempo recibí un mensaje electrónico desde Minnesota donde decía tocaba fondo, nada tenía sentido; había

permanecido 7 días drogado en el metro de la
Gran Manzana.

Cuando al fin se mató Mario Marcel lo supe
por una llamada desde Cuba, creo que de
Arturo o tal vez de Marcial. Lo velaron acá en
Miami en la iglesia de Kendall que le dio refugio
al principio. Un velorio de príncipe. Mucha
gente, vi algunos de Cienfuegos que no sabía
siquiera estaban en el exilio. Él estaba bello y
solemne como un muñeco de cera. La Puta de
Harvard, llorosa, se encontraba allí con su
marido. Dijeron habían viajado hasta
Minnesota al recibir la noticia; *¡colgado de una
ducha, horrible, qué loco este chico!* Un afligido
compañero de cuarto decía se había pegado
un tiro en el cielo de la boca. En verdad nunca
supimos. La Iglesia suele ser parca; ni siquiera
mencionaron la palabra suicidio.

En la misa de cuerpo presente el cura dijo
enfático a estas horas el hermano Mario está a
las puertas del cielo; mientras Lilith y yo como
tantas otras veces nos rozábamos sin que
Hécate se percatara, como quien quiere la cosa
y no, ahora con más apremio, cercanía de la
muerte quizás, la pinga parada, a partirse, y

ella levantaba sus ojos azul límpido hacia el altar; cordero del Señor vino a que aprendiéramos una lección.

Al salir de la misa Lilith no perdía oportunidad de pegarse a mí, vehemente en el apretujado tumulto como a la salida de un stadium. Fuimos todos para el Versalles, menos Víctor, y pedimos cerveza y churrasco. Lilith se sentó junto a mí en la mesa, pegaría mi pierna a la de ella, pero Hécate se ha percatado y exige muy seria se siente su lado.

Al entierro fue más gente aún que a la misa. Al final nos hemos quedado el grupo de amigos sentados sobre la tumba atestada de coronas, un sol pálido en repunte de invierno cae por el horizonte, y juramentamos venir cada mes una noche a beber vino sobre su losa. Lilith encantada con la idea, oportunidad para restregarnos, una obsesión sexual que ahora Marcel venía a agravar, algo físico pero también como de un conocimiento anterior a este tiempo o qué sé yo; creo Hécate no la complacía, no por lesbiana, sino por asexual, y hacía creer a todos, y lo creían, que la asexual era Lilith. Ni una vez hemos cumplido el juramento, el tiempo es de pinga en Miami; tú sabes.

Lilith insiste en que Mario Marcel pasó como un grito entre nosotros y ni siquiera lo oímos, y a veces yo me siento un poco culpable por lo duro que fui con él, por el fracaso de mi terapia, pero enseguida digo no hubo ningún fracaso pues precisamente la noche que se mató llamó a todo el mundo menos a mí, y eso indicaría nada más una cosa, no lo hizo porque sabía que el hablar conmigo le impediría matarse, al menos esa noche; reconocería al final lo infalible de mi proceder antisuicidio.

También he pensado mucho en la frase del clérigo oficiante acerca de Dios enviándonos a su cordero Mario para que aprendiéramos una lección y me he preguntado una y otra vez; por una parte, ¿éramos tan importantes a los ojos de Dios como para otorgarnos, no una vida cualquiera, sino la de alguien muy joven, y no la de un joven cualquiera, sino la de uno cuyo talento se mostraba ya superior al de cualquiera de nosotros, sólo para que aprendiéramos una lección y siguiéramos con nuestras viditas como si tal?; y por otra parte, ¿qué lección?

Escrito en Miami, 15 de agosto de 2003.

Dedos

I

Incorporaba los dedos hinchados. Dos butifarras sangrosas. Flaca, llena eres de gracia; pensaba. Una gracia de llagas en los dedos, dedos-llagas. Uno por el culo y otro por la crica. La embutía. Dos fundas para sus dedos. Los dedos le dolían, le ardían. Infiernos, falanges envueltas en llamas. Las dos fundas, húmedas y tibias, eran su alivio. Y el alcohol. Mucho alcohol. Los iba metiendo a todos por turno. A veces hasta dos y tres dedos a un tiempo, en la crica. En el culo, sólo uno. El del medio, de gracia eres lleno; pensaba en tanto preferenciaba al culo. Una pinga gruesa manejada con eficacia en el redondel. Mejor, porque nunca fallaba. Siempre tuvo los dedos gruesos, pero este trabajo del que acababa de desertar se los había inflado al punto de que tenía la sensación de ir por la vida artillado con diez consoladores. Para colmo, a fuerza de laceraciones sus dedos habían adquirido ese color de carne virtual con que se dotaba a las falsas pingas en el negociado de los artilugios para el sexo.

Se acordó de su abuelo. Le decían Coa. Dedos como coas. Esas lancetas de madera con puntas endurecidas al fuego que usaban los taínos para extraer el boniato de la tierra. Su abuelo estaba por encima de los taínos y sacaba los boniatos con sus dedos-coas. Lo aprendió siendo un niño a fines del Siglo XIX durante la Reconcentración de Weyler en la Guerra de Independencia contra España. Algunos creen que Hitler fue el creador de los campos de concentración. Están errados. Antes que Hitler fue Stalin. Antes que Stalin fue Lenin. Antes que Lenin fue Weyler. No es un problema de ideologías. Es un problema del hombre, parece. Venía, pues, de una isla privilegiada por la modernidad. Por las ocurrencias del hombre en la modernidad.

Contempló el dedo acoplado en el agujero con perfección. Los pliegues estirados en un círculo apretado en torno a la carne abotagada. Había belleza allí. Tuvo deseos de levantarla por el orificio y salir para la calle Flagler con el trofeo en alto, remedo del gesto de los automovilistas enfurecidos que en las horas pico cierran el puño y sacan el dedo del medio con la uña hacia afuera, pero con la novedad de aquella flaca cabalgando el pelo suelto clavada en su dedo grúa. Por un instante sintió que podía, que no deliraba. Entonces se lo introdujo hasta atrás. La flaca chilló, un ratón o algo así. Le sacó la butifarra con eficacia. Se hizo un vacío. Ella estaba bocarriba, borracha. Él arrodillado entre sus piernas. Aspiro la fragancia en el dedo. Un olor acre, grueso; sin llegar a la mierda. La pinga se le volvió a entiesar y se la arreó por segunda vez en la noche en el vacío dejado por el dedo; el culo cogido por delante. La crica supurante frotando contra su vientre; doble singueta o tortilla y singueta a un tiempo.

Era un adicto al culo. No estaba peleado con la crica, pero le gustaba más el culo, y procuraba con empeño la menor oportunidad para entrar en sus misterios. Muchas veces se había preguntado por qué no se metía a singar maricones y punto: tendría siempre a su disposición el orificio preferido. Pero enseguida se respondía que el orificio en sí no era lo que en realidad le interesaba. Es más, rechazaba la obligatoriedad del desempeño por un solo orificio. Lo que realmente interesaba, excitaba a Amadís, era la existencia de la opcionalidad de orificios. La paradoja de entrar por un agujero propiamente creado para deyectar; mientras que a milímetros, a un resbalón de distancia pudiéramos decir, se ofrecía abierto y enchumbado el agujero propiamente creado para entrar.

En su disfrute del círculo no percibía Amadís nada vulgar o degenerado. Sino que allí, aparte del goce, le parecía ver manifestarse la tendencia inexorable del bicho humano a la práctica de lo religioso, a religarse con el núcleo; con el Uno Irradiador. Descubría en la arandela apertrechada de rayos convergentes en el ojete, una cuasiperfecta representación del mandala que a su vez, intuía, era símbolo de Dios en tanto centro. El culo era una vía para experimentar a Dios. Insospechados suelen ser los caminos del Señor, se repetía con énfasis, en tanto adelantaba por los intersticios del intestino.

Había tenido mucha suerte en la vida. La mayoría de mujeres que había conocido le gustaba trajinar por el trasero. Hubo alguna, sonreía en el recuerdo, que se jugaba el culo a los cubiletes con él. Si ella perdía Amadís se lo cogía. Casi siempre perdía pues Amadís usaba dados cargados, o sabía amarrarlos; trampas de sobrevivencia aprendidas por el caballero en las cerveceras del puerto de Cienfuegos. Hubo otra que sólo le permitía acceso por el culo: el bollo, aseguraba oronda la muy lépera, se había hecho para orinar.

No sabía el nombre de esta trigueña que ahora empalaba. No sabía nada. Página en blanco. Frente a la página en blanco solía sentir esa especie de amalgama entre la desazón y la excitación. A veces se rayaba una paja ante la página en blanco. Se desbloqueaba. Comenzaba a escribir a partir de los símbolos configurados por los coágulos del semen sobre el papel. No dejaba de asombrarse, cada vez, frente a tamaña manifestación del principio creador; frente a la evidencia de insospechadas conexiones entre el semen, el símbolo y la semántica. ¡Vaya una pista para los críticos escandalizados ante el correr de la leche en su obra! Ese día había dejado aquel trabajo la madre que los parió y a la cuarta Heineken en un bar de Flagler la vio más allá de los cristales esperando el bus en la acera. Había salido y la había invitado con la mejor de sus sonrisas. No era una puta, era una francesa y realizaba, aseguró, un estudio comparado acerca del comportamiento sexual de los cubanos de la isla y los del exilio para la Universidad de la Sorbonne.

Recordaba el cuestionario con que ella le atacó al inicio y que, evidentemente, procuraba demostrar lo nocivo de las relaciones capitalistas para las relaciones sexuales, y donde al final, claro, los cubanos exiliados no salían bien parados, ni siquiera parados; y recordaba la había estado bonchando todo el tiempo hasta que ella, amoscada, había guardado su cuestionario, y que él para rematar había comprado una botella de aguardiente y habían terminado singando en aquella posada de mala muerte (¡moteles para ejecutivos le llamaban en los anuncios!) ubicada a unos pasos del bar.

Su rostro se le difuminaba, no lograba aprehenderlo; un rostro irreal, no sabía si por efecto del alcohol o porque ella poseía una suerte de facciones irregulares, hechas como a trazos de Chagall. Antes había tenido al menos una mujer así; era como poseer varias mujeres en una, o mejor, como tener la posibilidad de poseer el tipo de mujer que se quisiese en el momento que se quisiese; bastaba con escoger el ángulo desde el cual se le mirase, o más exactamente, desde el cual se le poseyese. Brindaba entonces por los trazos inacabados; por la imperfección de la Obra Creadora. Brindaba porque se vaciaba en el ano de la francesa.

II

No olvidaría nunca el día que comenzó en aquel trabajo la madre que los parió. Fue el 11 de septiembre del 2001. Llevaba varios meses sin encontrar trabajo; ni siquiera de los peores. Había descendido más allá del cero desde una posición bastante acomodada en los primeros años de exilio. Allí en la madre que los parió consiguió entrar gracias a un hermano en la francmasonería que era guardia de seguridad en la garita de entrada. Un viejo con un rostro oval, duro y dulce a la vez, bajo la gorra con una parafernalia de insignias como si fuese la de un general; alguien que había sido soldado en tiempos de Fulgencio Batista allá en la isla y devenido custodio en aquella fábrica de maniquíes.

Amadís estaba esa mañana llenando los papeles del contrato y cuéntame tu vida sentado en la garita. Recordaría que se detuvo un instante antes de poner su desparramada firma (síntoma de un ego descomunal aseguraban los grafólogos) como requisito último para pasar al otro lado de la alambrada de donde llegaba el ruido de los talleres. Un jefe de turno con aspecto centroamericano esperaba para conducirle. Allí en el contrato, ¡en letras pequeñas!, decía que el operario se hacía responsable por los daños y perjuicios de cualquier accidente que pudiera ocurrirle en el interior del edificio. Aquello no le hizo mucha gracia; pero, estaba obligado: mujer, un hijo pequeño y otro en camino con esa mujer, dos hijos adolescentes de otras mujeres recién traídos de Cuba, escritor impublicado y probablemente impublicable. En fin, qué cojones esperaba él de la vida. Firmó.

Nada más estampar aquellos garabatos (tan pretenciosos que parecía había firmado su obra maestra) cuando vio al hijo de Centroamérica, a su hermano francmasón y a un numeroso grupo de obreros que había salido a merendar apelotonándose como rebaño que otea el peligro, sin conciencia de ello, alerta ancestral e indescifrable, idiotizados, idos, mirando hacia el televisor colgado en lo alto del pequeño reducto con unos ojos salidos como al encuentro del Cristo en su primera aparición mediática tras el esperado regreso a la Tierra; *pero de cierto os digo*, no se trataba del Cristo; sino de Mahoma incrustándose el muy maricón contra la primera de las torres.

En ese instante intuyó que a partir de ahí ya nada sería igual (cosa que más tarde dijeron o escribieron algunos). Tuvo la sospecha de que ocurría uno de esos acontecimientos únicos que cambian o aceleran el curso de la Historia. Lo raro en todo aquello, se decía mientras se dejaba conducir hacia los talleres por el hijo de Centroamérica, era el hecho de que aún teniendo la videncia de que todo había cambiado ese día, ese instante, en realidad, o en lo que entendemos por realidad, todo seguía igual; y quizás seguiría igual por mucho tiempo.

Se asombraba ante el hecho de estar casi contento por aquel trabajo en la fábrica de maniquíes; ante su ingenuidad misma al creer por unos segundos que allí pudiese encontrar algo que tuviese que ver con el arte, al menos con esas modelos que miran desde sus universos de neón con caras orgásmicas y bocas de mamalonas en serie y que, ¡oh dicha!, acudiesen a aquellos talleres perdidos en el fondo del barrio de los negros en el noroeste de Miami a posar desnudas para que unos artesanos diligentes (el podía con el tiempo y la dedicación convertirse en uno de ellos) se inspirasen en sus curvas, o falta de curvas, y les hiciesen la réplica perfecta con el fin de eternizarlas tras las vidrieras de las grandes tiendas de Nueva York o sabe Dios. No paraba de asombrarse ante el abejeo de los obreros que avanzaban hacia sus máquinas, ante las bromas de mal gusto que se gastaban entre ellos como tipos que se creen muy listos y son en verdad muy bobos; ante la sinfonía del ruido

de los metales cortados, machucados, horada-
dos, doblados, rajados, derretidos, aplastados,
devastados, afilados, limados, laminados y
comprimidos.

Se asombraba por la limalla picándole en
los ojos, adhiriéndose con rapidez a su piel
como una pátina de un color indefinido entre
el hierro, la plata y el cobre; por el sudor
corriéndole bajo la camisa y los pantalones
hasta más allá de los timbales, por la irritación
que le producía la mezcla gruesa del sudor y
la limalla sobre sus carnes; por el olor a metal,
a polvo escondido en los resquicios del metal,
a rayo; por sus ojos codiciosos tras el sandun-
gueo de unas nalgas apretadas y compactas
bajo el jeans de una hembra de factoría; por lo
complicado del mecanismo digital para ponchar
la tarjeta con el horario de entrada y salida
que el descendiente de los mayas intentaba
explicarle sin ningún éxito.

No dejaba de asombrarse ante el triunfo de
la rutina, ante la terca persistencia de la
cotidianidad; de la cotidianidad y sus ritos. El
hombre aferrado a sus ritos cotidianos como
de balsa en el océano o de zarza ardiente en el

espacio. Esa voluntad del hombre para creer en la existencia como coto seguro, predecible, planificable, doméstico, aún frente a la más brutal de las evidencias en sentido contrario, casi lo enternecía. La constatación de esa interesada ingenuidad (en su propio proceder, pues había obedecido al timbre y seguido al descendiente de los mayas como si no hubiese otra cosa que hacer en el mundo en ese instante) lo conmovía aún más que el hecho mismo de las Torres Gemelas derritiéndose como dos barras de chocolatina en la pantalla; lo que sucedería minutos después en tanto Amadís aprendía el arte de agujerear una cabilla con una máquina perteneciente a la Edad Media.

Lo terrible no era, que lo era, el hecho en sí; sino que ese hecho, esos espasmos de apocalipsis que los noticiarios del mundo repetirían hasta la saciedad no tenían más consistencia que la del síntoma; ¡que para agravar las cosas el común tomaría por la enfermedad! Lo visto en las pantallas sobre los episodios de Nueva York sería sólo un anuncio de catástrofe que se manifestaba a través de los resquicios, fallas, boquetes, rajaduras y resquebrajaduras abiertos en la superficie de la normalidad inducida. Lo que irrumpía aquel día en las Gemelas no era más que un adelanto de lo verdaderamente terrible; sólo una porción de las fuerzas centrífugas cocinadas al fuego lento de los siglos.

Lo dejaron frente a una máquina con un operario nicaragüense para que lo entrenara. El tipo, evidentemente un veterano en aquellos talleres, le dijo que tenía que cuidar mucho dónde metía los dedos, pues al menor descuido, distracción o torpeza, ¡paf!, podía perderlos, ¡y dichoso si no perdía la mano completa!; bajo una de aquellas cuchillas o barrenos o mandarrias de acero con que estaban dotadas las máquinas para trabajar el metal. *El peor enemigo aquí es el sueño, ¡un pestañazo y mira lo que te cuesta!*, y le mostró las manos mutiladas con tres dedos de menos; con tres muñones romos. En la izquierda le faltaba el índice y en la derecha el índice y el del medio. Un escalofrío le bajó por la espalda, tuvo náuseas y los cojones se le encogieron. Amadís podía ser uno de los ejemplares más torpes, descuidados y distraídos que imaginarse pueda. A esas alturas corría el rumor, de máquina a máquina y a espaldas de los jefes, la segunda de las torres había sido herida. Dos dedos incinerándose sobre los cielos de Nueva York.

Las máquinas eran enormes. Por un momento creyó viajar en el tiempo, si no a la Edad Media al menos sí al inicio de la revolución industrial. No es que las máquinas no estuviesen dotadas de la más moderna tecnología. Es que todas aquellas máquinas por muy complicadas que fuesen las operaciones que realizaran, estaban regidas por el principio elemental de la gravedad ejercido sobre unas moles de hierro que pesaban no sabía cuántas toneladas; es verdad que eran eléctricas, que la electricidad elevaba las moles y desencadenaba su caída, pero estos seborucos de hierro terminaban al fin y al cabo cayendo por efecto de la gravedad para dar movimiento a una cuchilla, un punzón o lo que fuera que estuviera en la punta de aquel mecanismo. Bajo ese principio primario de una mole descendiente se moverían, suponía, no sólo máquinas medievales y de la revolución industrial, sino que muy probablemente algo así sucediera ya en la Edad Antigua o quizá antes. Estos artefactos con los que ahora le hacían familiarizarse, más el hecho engorroso de que la humanidad aún tuviese que deshollinarse el ano manualmente, le hacían sospechar a Amadís que el hombre no había en esencia avanzado mucho de las cavernas a lo que con mucha pompa nombraban postmodernidad; a pesar de los alardes de naves espaciales, de la internet y las bombas inteligentes; pura parafernalia, pensaba en tanto aquel cretino le metía miedo con sus muñones.

La nave contenía varios talleres interconectados a través de un pasillo central. Los talleres estaban preñados de máquinas separadas las unas de las otras de manera existiese el espacio justo para que los operarios no chocasen entre sí. Hacía un calor de mil demonios. No había ventiladores para todos. La trampa era apropiarse de uno y ponerlo fijo frente a la máquina y moverlo, ¡pesaban como carajo!, si lo ponían a trabajar en otra máquina. El primer día se adueñó de uno de aquellos artefactos antediluvianos. Su experiencia carcelaria le ayudó. Mirada desafiante, unas cejas levantadas en un arco duro, ¡qué pinga es la que es!; todo el mundo a distancia, pocas palabras, nada de risas, nada de jaranas.

La mayoría de los obreros eran centroamericanos y haitianos; muy pocos cubanos. Los jefes de taller eran negros norteamericanos; algunos ejercían un racismo feroz sobre los centroamericanos y sobre los mismos negros haitianos; era el caso del jefe de su taller. Aquel primer día quiso lucirse con Amadís por su tardanza en aprender. ¡Loco estaba el hijo de África! Lo mandó urgente a singar por el agujero en el envés. Mitad en inglés y mitad en español; por si acaso. Nunca más se le ocurrió al africano meterse con el isleño. Si tenía que decirle algo mandaba a algún tracatán de recadero.

Entraba en la factoría a las 7 de la mañana. Para poder entrar a esa hora tenía que levantarse a las 5. Por lo regular salía de allí a las 10 o las 11 de la noche; por lo que podía trabajar hasta 16 horas diarias. No es que lo obligasen a trabajar esas horas como durante la revolución industrial, ¡todo hay que decirlo!, se obligaba él mismo por la necesidad de hacer todo el overtime que pudiera, ganar un poco más y cubrir, mínimamente, los gastos familiares. Laboraba todas esas horas extras de lunes a sábado, y a veces hasta los domingos. La vida se le había reducido a la monotonía de aquellas naves de un color gris sucio, y no es que no estuviesen limpias y pintadas hasta con esmero, lo estaban dentro de lo que cabía; es que literalmente ese era el color: gris sucio.

El tiempo lo mataba. Un tiempo que pasaba como sin pasar. No veía la luz del día. Su existencia en aquella época era una sucesión de noches largas. No tenía sentido del tiempo; del paso del tiempo. Se había impuesto como norma no mirar el reloj mientras estuviese en la factoría, un poco por probar su fuerza de voluntad y otro poco por no alargarse el tiempo en el desespero de la mirada constante en el discurrir de los minutos. En realidad, reflexionaba, era el reloj y no el tiempo quien lo mataba; lo anulaba. El tiempo no transcurría, no existía, o transcurría y existía más allá de aquellos atenazamientos metalúrgicos. El reloj era el enemigo. Un día estuvo a punto de reventarlo contra el piso de cemento sin pulir. Se contuvo porque era un regalo de Oriana recién llegados al exilio. Entonces, en cuanto traspasaba la garita del guardia se metía el reloj en el bolsillo.

El único cubano en el taller había llegado en una balsa hacía tres meses e intentó trabar amistad con Amadís. Pero escogió mal el punto por donde entrarle. Inició el diálogo, monólogo en verdad, echando pestes de Norteamérica y los exiliados; como si él no fuese ya un exiliado o desterrado o diasporero o vaya usted a saber qué, porque algo debía ser; que si lo habían engañado, que si él hubiera sabido, que daba cualquier cosa porque llegará el año y un día y regresar de visita, que si patatín y que si patatán. Amadís escupió las palabras, la boca torcida. *¡Coño, asere, coge la misma balsa y regresa por donde viniste!*

La única relación que entabló fue con un haitiano; le puso Mister Vudú. Amadís se había convertido en unos días en un tornillo añadido a las máquinas. Le había cogido el ritmo al sube y baja de las moles. Se dejaba ir en el trepidar de aquellos mecanismos que se le antojaban organismos vivos; imbatibles monstruos folladores con sus falos y vaginas de hierro. Se metía con todos sus sentidos en la orgía de los metales. Siempre tenían que llamarlo para que parara la máquina y fuera a coger los minutos de la merienda o el almuerzo.

A propósito quería confundir las meriendas, no tener conciencia de si había almorzado o no para que estos acontecimientos señas no le hicieran percibir las pistas del horario. Se había prohibido terminantemente mirar a los ventanucos y claraboyas de las naves para no tener ni idea por dónde es que iba el avance o declive del sol. No es que fuera un amante del trabajo, ¡Dios lo libre!, es que sumergido en ese submundo de sonidos como desgarramientos, penetraciones sin cuento, se ponía por encima de la contingencia; de la agonía del trabajo.

Suprimía el Aquí y el Ahora; trascendía la inmediatez. Borraba el tiempo. Iba al fondo para estar en la superficie. Se sumergía de cabeza en el trabajo y en su tiempo; para irse a otras dimensiones más allá del trabajo y el tiempo. Huecos, vacíos; 3 mil, 4 mil huecos por minuto, 3 mil, 4 mil vacíos por minuto. Sacaba cábalas con los números que aparecían velozmente en la pantalla de la máquina indicando la cantidad de perforaciones; de violencias ejercidas por minuto sobre la superficie de los metales. Interpretaba su futuro a través de los números en la pantalla. Se sorprendía adormilado frente a la máquina, a punto de meter los dedos o la mano completa en el lugar equivocado. El sueño atacaba principalmente en el comienzo de la jornada o después de almuerzo, pero no dejaba de ser una amenaza durante todo el día. Tenía los ojos enrojecidos. Iba constantemente a los bebederos a echarse agua fría en la cara; se pegaba bofetadas, se enterraba inclusive la punta de su navaja sevillana en los brazos para no dormirse; buscaba significados esotéricos en las configuraciones de la sangre coagulándose entre la limalla adherida a la piel. No usaba los guantes reglamentarios, creía que estos podían entorpecer las maniobras con las piezas y precipitar una de sus manos bajo la guillotina. Los dedos se le habían deformado, parecían animalejos con vida propia. Inventaba historias a cada uno de sus dedos; a cada una de sus llagas. En las palmas de las manos se le habían formado dos huracos por donde manaba abundancia de sangre y pus.

El haitiano creyó que era un adicto al trabajo y se le acercó un día para decirle en un inextricable ajiaco de patuá, inglés y español que mejor se hiciera adicto a la cocaína, que la cocaína al menos no le cortaría las manos, que no fuera tan a prisa, que los jefes terminarían por subir la parada a todos basándose en el rasero de su productividad. Amadís no creía en reivindicaciones colectivas ni sindicales. Pero supo que el haitiano no era ningún mequetrefe de esos de la agenda social; entendió el punto de vista de la picaresca con que el caribeño enfocaba el asunto, entendió más bien la mímica de brazos abiertos como aspas, la sonrisa de dientes blanquísimos y dos colmillos de oro. Amadís le sonrió con un qué voláááá Mister Vudú y él le contestó con un qué voláááá Mister Cubiche. A partir de ese momento siempre se saludarían así en las mañanas. No es que fuesen amigos, puesto que sus diálogos nunca iban más allá del qué volá, pero sí se estableció entre ambos una especie de complicidad tácita y a Amadís le complacía, y de cierta forma le intrigaba, aquella alegría que irradiaba el caribeño y que parecía venir de la nada.

Corrían tiempos muy jodidos, pensaba Amadís. Tenía la sensación de habitar en uno de esos sueños extendidos, en una semivigilia constante, en una semejanza de ritornello sin fin; en un insondable remolino de arenisca. No parecía tener cabal conciencia de la frontera entre los sueños y la realidad, entre los sueños y la pesadilla. Durante las pocas horas que estaba en la cama soñaba que estaba en el taller y durante las muchas horas que pasaba en el taller soñaba que estaba en la cama; soñaba con las Gemelas.

No podía decir que antes de aquello las Torres tuviesen un especial significado para él; mucho menos estético. Su relación con ellas se limitaba a una fotografía en que aparecen él y Oriana recostados a la borda del barco que los lleva a la Estatua de la Libertad. Amadís tiene un sobretodo negro y unas gafas Ray Ban del mismo color, el viento le bate el pelo largo y encrespado, y despide una impronta espiritual a medio camino entre el conquistador español y el mafioso italiano. Oriana ostenta un sobretodo carmelita claro y lo abraza orgullosa de tenerlo independientemente de su impronta espiritual. El barco se aleja y al fondo se ven las Torres como dos monumentos fálicos. También, mucho tiempo después de la instantánea, su hijo mayor recién llegado de Cuba le había regalado una increíble camisa hecha toda de una imagen en blanco y negro en que por delante se veía la Estatua de la Libertad y por detrás las Gemelas; se la había regalado más por la estatua, ¡por el simbolismo de la estatua!, que por las Gemelas.

Aquella mañana Amadís se había instalado en el banquillo de la máquina a la espera del timbre de las 7 para comenzar la faena. Dormitaba mientras pedía con fervor a Dios que lo sacara pronto de aquellas naves de mierda. Creía tener una relación especial con Dios. Un conocido suyo (¡uno de esos seres monovaginales, vegetarianos, abstemios y pacifistas, fervorosos creyentes en Marx primero y afiliados después a una de las muchas ONGs al uso!) le preguntó un día intrigadísimo que cómo es que siendo tan bandolero podía creer tanto en Dios, y Amadís le contestó: *¡soy yo el que no entiende cómo es que siendo tú tan bueno puedas no creer en Dios!* La risa estridente y el saludo del qué voláááá Mister Cubiche le sacaron del letargo. Intentó una sonrisa, a medio camino entre la sonrisa y el bostezo, y contestó la lengua tropelosa, empegotada en una saliva espesa, cortada, con el habitual que voláááá Mister Vudú. En eso sonó el timbre como un berrido eléctrico y los obreros se precipitaron a sus puestos. Empezaba la sinfonía de chirridos y golpes como patadas en los oídos; como el día anterior, como cada día. Una repetición de voces, olores, sudores, acelerones, grúas, montacargas, esteras, nubes de óxido, martilleos, rodamientos, serruchamientos, machucamientos, arrastrar de aceros, deslizamientos de tubos por una rampa de cemento... Con cada descenso de la masa de hierro en su máquina, con cada disparo de la gravedad convertido en un huraco sobre la pieza de metal, Amadís repetía en su mente el mantra; *¡sácame de aquí, Dios Mío; Mi Dios, sácame de aquí!* Con fuerza, ¡con mucha fuerza!, con la misma fuerza de la masa cayendo, subiendo, cayendo, cayendo, cayendo...

Primero fue aquel alarido como de cien ballenas heridas; desmembradas de un tirón. Las máquinas se paralizaron. La modorra se disipó. La mañana clareaba por un ventanuco; ¡primera vez que se permitía mirar por uno de aquellos ventanucos! Un grupo corría y pensó en una bronca, en un apuñalamiento con una cabilla afilada tipo lanza; como en la prisión. Vio a Mister Vudú que daba vueltas como un pelele justo frente a su máquina, que emitía aquello como aullido alargado y multiplicado hasta el infinito. La mano izquierda aferrada a la derecha en alto; la derecha como una bandera, una regadera de sangre tiñendo la camisa blanquecina. Dio un giro más como de bailarín en la feria de los espantos y cayó, el grupo lo atrapó, se revolvió todavía en un estertor sobre la sangre, lo levantaron y se lo llevaron cargado en hombros; gritando aquel alarido como de cien ballenas heridas.

Amadís corrió tras el grupo y al doblar una esquina chocó de golpe con la máquina de Mister Vudú; viscosa y brillante como un templo azteca en día de sacrificios, todavía encendida; la masa de hierro detenida a medio camino entre el yunque y la cúspide. Impregnado en el yunque había un daguerrotipo de lo que fuera la mitad de la mano derecha de Mister Vudú; una lámina de falanges y tendones y tejidos y coágulos y uñas; una impresión perfecta en el yunque. Amadís regresó a su puesto en la máquina con una expresión entre el hastío y el horror. Los jefes de taller daban órdenes para que los operarios volvieran a la faena.

Ese día no hizo overtime; se fue al rayar las 5 de la tarde. Pasó por la oficina de personal y dijo le mandaran el cheque por correo a la casa. Salió del parqueo chillando las gomas contra el reverbero del pavimento. Se subió al expressway poseído por la furia y le metió cañona a una rastra. El trailer cargado de chatarra se sacudió, bailó, onduló como un reptil de pesadilla y estuvo a punto de irse por encima del muro de contención del expressway. Por el espejo retrovisor tuvo tiempo todavía de ver al rastrero que le sacaba el dedo del medio semejante a un poste del tendido eléctrico; ¡le hubiera gustado matar al hijo de puta! Bajó la ventanilla del carro, la brisa de la tarde le golpeó en la cara con un barrunto de lluvia y percibió un olor a tierra mojada en un lejano lugar; reconsideró el olor y se dijo que tal vez fuese una mezcla de marihuana y jazmines machucados en un viejo mortero de cedro en un cercano lugar; se despojaba del sudor y la limalla. La furia fue cediendo y dio paso a un estadío de distanciamiento; a una sensación de vacío cosquilleándole en el plexo solar. Pensó que era bueno dejar definitivamente atrás aquella factoría la madre que los parió. Una ráfaga parecida a la alegría le recorrió el cuerpo adolorido y se le manifestó con apremio en el gaznate; decidió entonces iría como una bala a bajarse un 12 de Heineken en aquel bar de la calle Flagler.

No quería de ninguna manera llegar a su casa hasta después del último noticiero de la noche. Frente a la pantalla se repetirían las Gemelas como dos teas, dos dedos; los dedos de Dios. El avión de Alá ensartando la segunda de las Torres. Bultos como figuras de pequeños simios asomados a las ventanas, atropellándose para saltar al vacío. Racimos de gente lanzándose desde los pisos ochenta o más. Cayendo, nadando como en una eternidad de silencio; acelerando el ritmo de los brazos y las piernas a medida que se acercaban a los últimos pisos; hasta reventarse contra el pavimento, hasta quebrarse como muñecos de porcelana. Alcanzaba a adivinar el dolor en la caída, el descoyuntamiento de los cuerpos en la caída, los cuerpos en la caída, los cuerpos en la caída... hasta que las Torres desaparecían... cada día... Equipos de rescate en un laboreo de hormigas; un mar, una gelatina de sangrasa quemada entre los escombros. El hallazgo de un dedo. ¿El dedo de quién?

Escrito en Miami, 26 de octubre de 2004

Carga de la caballería

Era una pareja de sobrevivientes. Había sobrevivido durante los primeros tiempos de la relación a las presiones de la Seguridad del Estado en la isla para que los padres de Ella la obligaran a romper con ese antisocial; a los chismes de la gente que le aseguraba ese tipo no le convenía por su afición a las mujeres, el alcohol, la pendencia y la tortilla; a los mismos cuadros de tortilla cuando Él le comió el cerebro hasta el punto de acoplarla en despelote con la primera puta linda que apareciera; a un herpes genital simple que Él padecía como penitencia, suponía, por los excesos en la entrepierna y como recordatorio en llagas, decía filosófico, de que a una dosis de placer correspondía una de dolor en el negociado de la existencia; a la persecución policial; a los tiros; al mar; a las depresiones y al carácter a veces ácido de ella; a la violencia contenida de Él; a las discusiones tontas; al exilio; al desarraigo; a la adaptación a una lengua y cultura ajenas; a la resistencia de Él para no adaptarse a esa lengua y cultura; a las exigencias de Ella para que adquiriera al menos unos usos y costumbres mínimos que permitieran el avance; a la entrega de Él a una obra literaria que lo absorbía y por la que en Cuba sólo pudo aspirar al premio de la cárcel y en el exterior al premio de la indiferencia; a los enredos conspirativos de Él en parafernalia de logias anticomunistas; a los naufragios e intentos de desembarco en las costas de la más fermosa; a la falta de tiempo de Él por andar enfrascado en lo que llamaba grandes proyectos; a los sueños truncos o dilatados; a la sicótica superstición de Él que se daba a interpretar la realidad en clave de símbolos providenciales; a las deudas en tarjetas de crédito con intereses leoninos; a la pérdida del crédito; a una economía de subsistencia; a períodos en que casi ni se veían porque Él laboraba durante las noches y regresaba a casa de su trabajo cuando Ella partía para el suyo; a diez años de vida en común; a la rutina; al trópico; a una ciudad chata y desparramada en una planicie donde la vida se iba a velocidades de espanto sobre una intrincada red de autopistas; a viviendas como cajas refrigeradas; a la fantasía de que algún día vivirían y morirían en París con aguacero; a la sorpresa de amanecer un día en sus calles y comprobar que el París al que cantaron César Vallejo, Anaïs Nin y Henry Miller ya no existía, si es que alguna vez existió; a las llamadas con proposiciones de seguros de vida y confortables sepulturas en cementerios católicos; a la intercepción del teléfono desde la base espía de Lourdes en Bejucal, según el FBI; a los celulares, la celulitis, la internet, la computadora y la televisión mexicana; al acecho en manada de las Testigos de Jehová que los sábados y domingos tocaban en la puerta al amanecer prometiendo el paraíso; a su respuesta al abrir desnudo y con la pinga tiesa mientras las sayas largas huían, ¡mirando hacía atrás!, y haciendo el signo del detente; pero, sobre todo; era una pareja que había sobrevivido a la familia, a la del uno y a la del otro, y a la que ambos habían constituido juntos.

Aguardaban expectantes (Ella lúbrica y Él artillado) hasta que el último habitante de la casa se durmiera para entonces meter manos a la obra; claro que muchas veces terminaban ellos mismos dormidos para despertar al otro día con una sensación de vacío y frustración y desgano y ansiedad manifiestos en una manera de relacionarse, ¡si es que aquello era relacionarse!, que discurría por los desfiladeros de la inercia, por unos silencios extendidos y como de capas superpuestas, o monólogos inextricables, interjecciones, ironías, irritaciones, miradas y respuestas cortantes; un cóctel molotov que a veces estallaba en cóleras y discusiones. Ella más ácida que nunca y Él con un dolor innombrable en los cojones hinchados, un dolor desparramándosele primero en los riñones, o sabe Dios, y subiéndole después con impiedad por la espina dorsal.

Aquella noche habían vencido al sueño y a la familia, o más bien el sueño había vencido a la familia antes que a ellos. Él permanecía en la cama; hacía rato que aguardaba, desnudo, bocarriba y con la pinga enhiesta; desafiante ante las ráfagas puntuales del aire acondicionado en 75. Comenzaba ya a divagar, entraba reticente en el estadío de la semivigilia, se esforzaba para no irse por los vericuetos del sueño, por no despeñarse pataleando por aquel túnel de oscuridad insondable de camino a la nada.

En esas estaba cuando Ella entró en la habitación el pelo suelto sobre los hombros tallados en un mármol salpicado de pecas, chorreando el agua, envuelta en una toalla verde y una sonrisa triunfal. Ella se quitó la túnica improvisada y Él regresó a la semipenumbra del cuarto. Ella se le subió encima y comenzó a chupársela con esmero, la cabeza en un sube y baja de movimientos cortos y precisos; como si bailase a ritmo de un rock duro ejecutado en una lejana planicie. La cabellera en ondas suaves y alborotadas caía escurriendo el agua sobre los muslos, la pelvis y los cojones del caballero; un olor a jabón, a jazmines; un cosquilleo, un contraste entre el agua fría y la carne caliente; resuellos, la cama sin grasa que chilla como una rana devorada por un jubo. Él sonreía, sentía ahora que la rana invertía los roles y devoraba, se atragantaba con el jubo.

La atrabancó por las ancas y la atrajo sobre su cara, la barba áspera de tres días como a la dama le gustaba. Comenzó a mamarle el asterisco mientras le pajeaba la crica estrecha con el dedo gordo. El batracio daba unos resoplidos gruesos, salivaba sobre el jubo que devoraba. El caballero se erizaba por debajo de la armadura en espasmos eléctricos en sintonía con el aire caliente exhalado en sus cojones; pensaba, un antiguo artesano en el Bajo Egipto soplando sobre su fragua. Después, repentinamente, Ella se desconectó del lengüeteo y se tendió encima de Él. Se abrazaron y besaron más allá del tiempo; con una ternura insospechada.

Saltaron de la cama. Con el impacto la lámpara de un azul tenue configurada en un globo terráqueo, colocada en la cima del librero, estuvo a punto de reventarse contra el piso. Afuera ladró el perro de la vecina. Ella se inclinó estupenda sobre el borde de la cama, Él se partió por el centro hacía atrás y le entró desde bien abajo por la crica como de niña en sus 15 años. Entonces inició el azote en la grupa compacta, como el resto de sus carnes a pesar de dos embarazos seguidos, de dos cesáreas seguidas; a pesar de todo. En las nalgas blancas le surgieron dos ramalazos encarnados; dos dragones enardecidos. Ella emitía unos sonidos guturales, ahogados contra una almohada trabajada en motivos de la novelística bucólico pastoril; una cabra y un cayado desaparecían a medias en el abismo de su boca.

Él, ¡que era un patón de primera!, bailaba descoyuntado tras el fambeco. Endemoniado, poseído por el toque de los tambores en una playa de salvajes que aúllan con ferocidad en torno a hogueras encendidas. Seguía en el desenfreno de su danza cuando el cuarto se escoró, como un galeón en la punta de la marejada; o al menos así lo percibió. Hubo un remolino que nacía justo en la grupa de Ella; vio sus nalgas moviéndose en círculo a velocidad de vértigo, difuminándose, entrelazándose y mezclándose con unas nalgas de mulatas y éstas con las ancas de unas yeguas que se encabritaban, remolineaban, desbocaban, espumareaban, se abrían, meaban y pedorreaban (o creyó que pedorreaban); sobre las yeguas los bandidos de miradas fulgurantes en la faena de subir a las mulatas... Un lapsus, una pervivencia en la mente de una olvidada clase de Historia del Arte; pensó...

Entonces todo fue nítido. Apareció una montura de piel repujada y enseguida el tropel de la caballería; porque no sólo la veía, sino que la sentía, una carga o vaya usted a saber qué; y flotando sobre la caballería la imagen de un joven oficial ataviado con sombrero y guerrera blanca; en el sombrero una estrella de oro sobre el ala recogida en la frente. Su parte consciente aseguró que se trataba de Maceo; fue sólo una impresión fugaz, una engañifa más de la lógica y el intelecto, pues veía con inusitada claridad que el oficial tenía un rostro tan pálido como la guerrera misma y unos ojos azul marino.

El apuesto oficial mambí se le presentaba a manera de una fotografía de la cintura hacia arriba, adecuada para figurar en uno de esos marcos a manera de medallones, muy por encima de la caballería, pero formando parte del mismo encuadre. No podía decir que aquello fuese una escena mental, la veía transcurrir desde atrás de su mujer, en un probable espacio entre ellos y el espejo que tenían al frente y al otro lado de la cama, a una altura que estaría sobre sus cabezas.

Él se arqueó más hacia atrás, agarrado a las caderas todavía estrechas, para facilitar el incremento del ritmo y de la fuerza en la acometida del cuerpo sobre el pistón; del pistón sobre el húmedo fruto del papayo. En ese instante oyó, o creyó oír, la voz que le llegaba, casi cálida, desde un impreciso lugar: ¡eso... eso... así... eso... como antes... en el... campamento... duro... rómpeme el corojo... como en las noches... del campamento!...

Yacían uno al lado del otro, vaciados, exhaustos y empapados en sudor; a pesar del aire acondicionado en 75. Él le preguntaba con el tono menos alarmante que encontró acerca de ciertas palabras que pensaba Ella había dicho en su punto de ebullición. Ella; *qué palabras, qué dije, no dije nada, no hablé.* Él; *bueno, dijiste, tal vez no te diste cuenta, la locura, qué sé yo, pero dijiste, algo, raro tal vez.* Ella; *¡pero cómo voy a decir nada!, si tenía la almohada en la boca, si mordía la almohada para no gritar, ¡como siempre!, para no despertar el familión.*

Le contó entonces lo que acababa de ver como si se tratase de una película, y lo realmente inquietante, la voz, lo que oyó, o creyó oír, sobre el sexo en las noches del campamento mambí. Ella se sentó en la cama de un salto, de un susto, y le interrogó con apremio en las palabras; *¡cómo supiste, dime, cómo supiste!* Él; *¡qué supe, qué es lo que supe!* Ella; *eso, que yo he tenido la idea, el capricho, el convencimiento casi de haber vivido una existencia anterior junto a ti, es más, ¡cómo supiste que fue durante la guerra contra España si nunca he hablado a nadie del tema!*

Él argumentaba, tartamudeaba, intentaba explicar que lo visto no era una mujer, sino un hombre en toda la indumentaria de la leyenda y la realidad de un oficial mambí, joven y bello, ¡pero hombre! Ella contuvo la risa en la almohada, le miró en la semipenumbra con una mezcla de asombro y picardía, y en un tono neutro y emocionado a un tiempo dijo que justo eso presentía que había sido, ¡un hombre!, y que Él, ¡hombre también!, un ejemplar curtido, algo mayor, un alto jefe de la guerra tal vez, le poseía sin pudor en el campamento insurrecto después del día azaroso a la búsqueda o la huida del enemigo español.

Uno de los niños llamó de entre los espasmos del sueño; lloraba pidiendo la leche. Ella se tiró desnuda de la cama; la lámpara de un azul tenue configurada en un globo terráqueo cayó desde lo alto en el librero, se reventó contra el piso en un aspaviento de meridianos, paralelos, lagos, ríos, desiertos, valles, selvas, montañas, ciudades, naciones, mares, océanos, islas y continentes de cristal roto, en un desencuentro, en una dispersión de los fragmentos del orden en la esfera antes contenido; el niño comenzó a gritar, las luces de la casa se encendieron, el perro de la vecina aulló largo y arrastró la cadena sobre un cementerio de latas en el pasillo. Él tuvo frío, se sintió viejo e intentó dormirse.

**Escrito en Miami,
16 de noviembre de 2004**

A la caza de un impresor

Cuando bajaban a Borges el sol bajaba también por el horizonte, y se agradecía, más allá del simbolismo, pues Miami en el mes de julio es una verdadera caldera; un caldaje borboteante. Hice la señal de la cruz y tiré la primera paletada de tierra, ¡más arena que tierra! La mitad de la paletada cayó sobre el ataúd y la otra mitad retornó con el viento, me golpeó con saña en los ojos y cubrió mis zapatos, los pantalones de pinzas y el saco negro de botonadura dorada, ¡ay!, con una pátina amarillenta. Me quedé de piedra. No estoy preparado para los desencuentros de la cotidianidad; para la cotidianidad. La mezcla de sudor y arenisca era una carga insoportable en mi cuello. Entonces los demás empezaron a tirar sus paletadas y yo me corrí hacia atrás, me recosté a uno de los tubos de aluminio que sostenían la carpa improvisada. Había muchas coronas, algunas familiares, lo de siempre, otras, la mayoría, con alusiones a la lucha, dedicadas por organizaciones de exiliados y ex compañeros de presidio, y dos, inmensas, construidas a modo de una bandera y un escudo cubanos.

Con la última paletada los cuatro del Consejo nos reunimos allí mismo sobre una tumba. Me gustaría decir que el sol en declive producía ese misterio, ese alargamiento de las sepulturas en sombras sobre el campo; pero no, acá hasta la muerte carece de grandeza, y las tumbas son simples placas de mármol a ras de la tierra, de la hierba bien cortada y convenientemente regada. El sol que caía nos amarilleaba en los ojos sin piedad; sin atenuantes posibles. Lo primero que descubrimos es que nos resultaría sumamente difícil iniciar o continuar actividad alguna de índole conspirativa; todas las conexiones morían en Borges, es decir, morían con Borges. La principal virtud en un conspirador, saber guardar silencio, se convertía ahora en el principal obstáculo. Quedaban demasiados cabos sueltos que el jefe se llevaba sin más al otro barrio.

Éramos cuatro hombres intentando, con poco éxito, suplantar a uno que había dedicado 20 años en el exilio, tras salir de la cárcel en la isla, a tejer una red de relaciones, contactos y complicidades que permitían el funcionamiento de la Logia de los Hermanos que Miran al Sur en la ciudad de Miami, un brazo político y otro, digamos, militar. Por si fuera poco, en el primer minuto de la reunión, ¡todavía el cura no había concluido el encendido sermón!, surgieron todos las desavenencias, divisiones, celos y recelos que suelen aflorar entre los adeptos de cualquier organismo erigido en torno a los vicios y virtudes, ¡en este caso más virtudes que vicios!, de un caudillo cuando éste desaparece y que indefectiblemente llevan a la desaparición del organismo mismo, o peor, lo ponen a sobrevivir en un estadío vegetativo.

Por los años que me llevaba Borges podía haber sido mi padre; pero había sido mi amigo. Entre ambos se estableció una relación de confianza y lealtad que pocas veces he encontrado en personas de mi misma generación. Claro, había cosas que él no me decía, ni yo le preguntaba, en el entendimiento mutuo de que en el mundo en que nos movíamos uno debe saber sólo lo estrictamente necesario para ejecutar una actividad dada; la novelería como pecado mortal, ¡nunca como aquí lo de mortal!

Borges, aunque enfermo de cáncer en los dos últimos años, se había comportado con una entereza tal (impecablemente vestido, no se quejaba de dolor, se mostró alerta y al tanto de todo hasta el final) que lo que debió ser un desenlace esperado nos tomó a todos por sorpresa; y a mí en particular que, ahora me desayunaba, no tenía modo de continuar por el momento con los actos de sabotaje dentro de la isla; que de eso precisamente me había ocupado en la Logia de los Hermanos que Miran al Sur.

Borges tenía un contacto que le proporcionaba pesos convertibles cubanos (o chavitos) falsos. Yo vendía esos chavitos a las mulas que a su vez los introducían en la isla, y con los dólares obtenidos de esas transacciones podía entonces financiar a mis muchachos en Cuba. La operación era todo rendimientos. Primero, a través de las mulas metía grandes cantidades de dinero inservible dentro de la economía del régimen (con los consabidos efectos para la misma). Segundo, mis muchachos tenían plata de la buena para sostenerse, moverse y acometer acciones adecuadamente encadenadas, incruentas y pequeñas es cierto, pero suficientes para mostrar que había gente organizada y dispuesta a subvertir el orden de los monikongos. Y tercero, y no menos importante, yo mismo estaba a punto de contar ya con los excedentes necesarios para poder dedicarme por entero a esa faena y abandonar, ¡al fin!, mi trabajo de cortador de yerbas a destajo.

Un trabajo que sólo desearía, sin titubear, a mi peor enemigo. Nadie sabe, si no lo ha vivido, lo que es el sol de la Florida espejeándote en la cabeza a la una en punto de la tarde mientras maniobras con un weeder sobre una faja de yerba que parece extenderse hasta el infinito; y entre la yerba zapatos viejos, íntimas ensangrentadas, preservativos usados, arañas panzudas, serpientes tres pasos. El sol se te mete en la cabeza, una bola incandescente al reventar, estás al punto de la deshidratación, agua, quieres agua, mucha agua; alucinas. El weeder estremeciéndote a la altura de la cintura, una ametralladora, ensordeciéndote, pesa, te tumba el brazo derecho, se traban las pitas cortadoras, se apaga, echas gasolina, halas la cuerda para que arranque, se ahoga, cancanea, seis halones de cuerda más tarde arranca nuevamente. La máquina te lleva. Eres uno con la máquina. La misma mierda que la máquina. Un zombi. El sudor te arde en los ojos como los meados de un sapo, te ciega, te empapa de la cabeza a los pies; las manos llagadas te resbalan. Un día apareció de repente aquel jodido perro ladrando por entre las tablas de una cerca en el fondo de una casa en Kendall y le metí el weeder en el hocico, un tajo como de alfanje, la sangre me saltó a la cara, un perro con dos bocas; aullaba por la una y el aullido se le iba por la otra, quiero decir, en sangre por el tajo.

Soñaba con la yerba; con el weeder. El día del entierro me fui a las 12 meridiano del trabajo, me diera tiempo a bañarme, vestirme y estar un rato en la funeraria. Las manos me temblaban todavía, acalambradas, por efecto del weeder; no podía sostener ni una tacita de café. La gente, ¡qué pena!, Borges; gente que en su mayoría se pudrió en presidio mientras el pueblo aplaudía. Un tipo como Martín Pérez, 25 años en la cárcel; ¡se dice fácil! Huber Matos me cuenta (lo pondría después en su libro) acerca de que Camilo Cienfuegos no era comunista, que cuando fue a apresarlo en Camagüey le dijo no hiciera caso de la basura que estaría obligado a decir de él en el discurso que daría después. Pienso, no lo digo, pero lo pienso, Camilo es sólo el precursor de lo que más tarde llamarían doble moral revolucionaria. Matos tiene el porte de un prócer. Habla pausado, lúcido; a pesar de rayar los 80. Cuando esos acontecimientos ocurrieron yo tenía meses de nacido. El ex comandante porta un enorme bigote; unas cejas pobladas, un bosque de cejas. Paso el rastrillo y voy después desmochando con el weeder la manigua de cejas y el bigote; él habla y yo desmocho, pura eficacia, las pitas pasan a una fracción de milímetro de la piel; sin tocarla. Soy un consumado artista del weeder; creo, además, que cortar yerba me está volviendo loco.

Por supuesto, el problema no consistía sólo en que yo estuviese desesperado por soltar aquella candela de cortar yerba; que lo estaba. Lo cierto es que también disfrutaba el oficio subversivo. Incidir en la isla a pesar de llevar cerca de diez años fuera. Manejar hilos en la distancia. Ejercer el poder desde las antípodas del poder. Probar en la práctica (en mi persona y en la de mis muchachos en la isla) mi idea del devenir histórico; de la decisiva participación de los marginales en el devenir histórico. No es que no creyese en el papel de las élites, es que creía además en la capacidad de ciertos seres de linajes oscuros, a veces delictuosos, para convertirse en élite y cambiar el curso de los acontecimientos en el desarrollo del Hombre. Era la especie de arquetipo del héroe con que me identificaba, e identificaba a mis díscolos soldados en la isla; un héroe que no es más que el antihéroe transmutado en su contrario por fuerza de las circunstancias, a las que no daba crédito, o del Inconsciente Jungueano, al que sí daba crédito.

En la Conquista de América, frente a héroes de prosapia como un Bobadilla, un Ovando, un Ponce de León, un Arias o un Velázquez con todo a su favor para triunfar, prefería a héroes de orígenes inciertos como un Colón, un Balboa, un Cortés o un Pizarro que se levantaban de la nada y se convertían, contra todo pronóstico, en protagonistas de la Historia, y se alzaban con la mayor gloria a punta de inteligencia, coraje, osadía, astucia y suerte.

En las guerras por la independencia de Cuba, frente a los patriotas del panteón oficial como un Céspedes, un Gómez o un Maceo, prefería a bandoleros de la estirpe de un Manuel García, un Bermúdez o un Matagás que se habían reivindicado en la lucha y contribuido con dinero, armas, hombres y pertrechos (en el caso de Matagás permaneció alzado durante las tres guerras contra España a espaldas del Pacto del Zanjón y sin el alarde político de una Protesta de Baraguá); prefería inclusive a un Martí que, a pesar de haber sido consagrado Apóstol, no era en el fondo más que un marginal de marca mayor por su condición de poeta y su leyenda de hombre mundano dado al placer del alcohol y las mujeres ajenas; y que por si fuera poco, y contra lo establecido por la historiografía al uso, a izquierda y derecha del espectro nacional, existen indicios de que pudo haber aceptado las generosas contribuciones a la insurrección ofrecidas por el mismísimo Manuel García.

Como se verá eran varias y de peso las razones que me obligaban a la búsqueda del misterioso falsificador de dinero. Así que nada más salir del cementerio, ¡y apenas sacudido el polvo en el camino!, me di a la tarea de encontrar al individuo. Al menos sabía por donde buscar, mi impresor o la manera de llegar hasta él debía de encontrarse en el submundo de individuos que se movían por la siempre imprecisa frontera entre lo gansteril y lo subversivo; quiero decir, entre mis afines en el tiempo y la historia. Esa noche inicié un largo periplo por las cafeterías de la ciudad; esto es, por los bares y billares y tugurios de la buena muerte convenientemente disfrazados de cafeterías, que era el único modo en que podían operar estos establecimientos en el Condado Dade para no ser estrangulados por los excesivos impuestos y las leoninas licencias a que eran sometidos: resabios de socialismo manifestado, ¡oh milagro!, en Miami.

Empecé por el Bar de Mongo y seguí por el Bar de Pipo el Cojo, ambos en Little Havana y centros neurálgicos del elemento que me interesaba. Mongo había integrado la resistencia clandestina en los primeros años de la imposición del marxismo en la isla, caído preso, escapado, arribado en una goma de tractor a las costas floridanas y convertido después en un protector de fugitivos como él que encontraban en su local un plato de comida y un catre hasta encarrilarse, o descarrilarse, en el nuevo hábitat. Pipo era Mokongo de la Sociedad Secreta Abakuá y se había quedado cojo de un balazo en una rodilla durante una aclaración de conceptos, ¡así decía!, en un plante en Regla (¡por supuesto nadie piense aquí en una disquisición filosófica entre partidarios del conceptismo de un Gracián, por un lado, y un Quevedo, por el otro, allá por el Siglo de Oro Español, y que por un exceso de apasionamiento en el ejercicio del criterio estético había degenerado en sangrienta riña!, ¡nada de eso!; sino que se refería a algo más cercano y terrenal, probablemente a algún comentario desmerecedor acerca del valor o la varonía de alguno de los ecobios contendientes y que, ¡ahora sí como en el Siglo de Oro!, había que lavar con sangre); luego Pipo cayó preso porque en un registro la Policía Política encontró en su cuarto *Rebelión en la Granja*, de Orwell, gracias a la delación de un ambia que por una de esas jugarretas de Dios se encontró un día mucho tiempo después en una discoteca de Miami y, cumplidor con el código del buen ñáñigo, le descerrajó dos tiros del 38 en el pecho; motivo por el cual acá en Norteamérica cumplió otra caterva más de años en la cárcel. Con tales credenciales Pipo se proclamaba con mucho orgullo, ¡para escándalo de académicos y mercaderes de la moderación!, como un auténtico objetor de conciencia de las dos orillas.

Lo cierto es que ni Mongo ni Pipo, ni ninguno de los parroquianos que en parafernalia de tipos ranqueados asistían a sus respectivos bares, sabían un carajo del impresor de billetes que proveía a Borges. Con igual resultado visité todos los bares-cafeterías que podían serme propicios. No sólo los visité; sino que me volví un asiduo a cada uno de ellos, durante meses, con el único saldo de varias borracheras y la ocurrencia de dos reyertas que casi me cuestan la vida al hacerme sospechoso de chiva del FBI, en un caso, y de agente del DGI isleño, en el otro.

Una noche sonó el timbre del teléfono. Del otro lado de la línea estaba mi amigo Chema. Me llamaba desde la sede de la Logia de los Hermanos que Miran al Sur. Allí había estado pernoctando por los últimos tiempos, exactamente desde que su mujer se le fue con otro y yo le resolví en el Consejo para que durmiera sobre una mesa ubicada bajo una bandera cubana y un busto de Martí. Cada dos o tres días le traía comida cocinada, y una vez por semana me lo llevaba para mi casa a que se bañara; ¡apestaba a rayos el patriota! Los años de presidio allá en la isla y el alcohol en todas partes le habían infligido daños irreversibles a su personalidad; no obstante, estaba dotado de lucidez y desapego a la vida.

Chema quería que fuera urgente a verlo. Pensé que su apuro tenía que ver con el hambre y partí en el auto con un galón de leche; lo único que tenía en el refrigerador. Me equivoqué; el galón de leche no le venía nada mal, pero se trataba de algo menos mundano; o menos de este mundo. Había creído ver a Borges; ¡sí, como lo oía; a Borges!

A eso de las 11 intentó dormirse y entró en una suerte de semivigilia alerta, se sintió

dominado por una laxitud extrema, sin voluntad siquiera para abrir o cerrar los ojos, y sin
perder la conciencia, oía el tránsito de la calle
Flagler, un chirriar de gomas sobre el
pavimento, un claxon, una maldición, una
mujer llamando a un niño en el edificio cercano;
estaba afiebrado, sudaba; y entonces se le
presentó la visión del difunto que atravesaba
la oficina de una punta a la otra, levitaba, o
daba la impresión de levitar, nunca pudo verle
los pies, o tal vez no se fijó, no podía precisar,
duraría unos segundos, pero suficiente para
apreciar la mirada inquisitiva, el traje
impecable, los yugos de oro de la camisa. *La
otra noche*, dijo, *tuve también la impresión de
su presencia; no te había comentado nada, tú
sabes, Mandy, nunca he creído en cosas de esas.*
Aseguraba y era cierto; pero, en fin, lo de esta
noche había sido el colmo.

Pensé quizá Borges quería darme la
información que necesitaba. Con mucho
trabajo convencí a Chema de que debíamos
intentar una comunicación con el espíritu.
Había mucho en juego y nada perdíamos;
rematé. Allí mismo improvisamos una Ouija
con un pedazo de cartón, puse un vaso de agua,

y con el llavero de Chema con la forma de un Castillo del Morro como marcador de las letras que configurarían el mensaje invocamos, o invoqué yo, al hermano recién partido al otro barrio. El Morro de plástico transparente comenzó a moverse veloz y sin sentido, en círculos concéntricos, por sobre el alfabeto que había estampado, ¡lo mejor que pude!, en letras góticas y con un plumón negro; parecía hacerlo por su cuenta, sin detenerse en ninguna letra en específico; sin armar una palabra.

Al rato, frustrados y a punto de levantarnos, vimos que el llavero se movía con lentitud sobre unas letras que conformaron un nombre: Manuel Moreno Fraginals, y tras un aparente titubeo: *¡piratas, sois piratas!* Me quedé pasmado. El destacado historiador había muerto en el exilio unos meses antes que Borges. Nunca le conocí en vida, y de su extensa y documentada obra yo sólo había leído *El ingenio* y *El hijo alegre de la caña de azúcar*, el primero me pareció fundamental y el segundo divertidísimo; pero más allá de eso yo no era lo que llamaríamos un admirador de la figura de Fraginals. Por otra parte, resultaba obvio no había yo descendido, o ascendido, a la irracionalidad de la Ouija guiado por una suerte de banal deseo de chismorreo historicista vía el más allá; así que después del pasmo se apoderó de mí una sensación de furia e indecible frustración. No obstante, el llavero continuó moviéndose, diría que escapándose del control de nuestros dedos, y comenzó a trazar una fascinante crónica en que Chema y yo estaríamos imbricados, ¡en sucesivas vidas!, hasta el tuétano de la historia de la conquista, la colonización, el corso, la piratería, el tráfago de salazones y la trata de esclavos en el Mar Caribe; para desembocar después en la intríngulis fundacional de la nación cubana, apostados precisamente por los intersticios menos ortodoxos y más aventureros del acontecer isleño. Ese darnos por el gusto de la idea, sostenida por ambos, acerca del devenir histórico nos envolvió hasta el punto de que permanecimos durante dos meses seguidos asistiendo cada noche con puntualidad, rara avis en nosotros, al encuentro con el espectro de Moreno Fraginals; o lo que fuera aquello que se expresaba a través del llavero configurado en Castillo del Morro. Cada noche nos daba una información sorprendente sobre lo que llamaba nuestra evolución espiritual, o vaticinaba hechos que se cumplían luego con más o menos precisión; unos triviales y otros tremendos.

Entre los últimos la debacle del 11 de septiembre en Nueva York; no es que precisara fecha y lugar, sino que la noche antes de los ataques manifestó un desacostumbrado apuro por concluir la sesión y se despidió con un, yo diría que nervioso, *¡fortalezcan sus almas, oren mucho, fuego y muerte os lloverá!*; claro que no hicimos caso... hasta ver el espanto en los noticiarios al otro día.

Ya habíamos olvidado la razón por la que iniciamos aquella comunicación mediúmnica (¡hasta el sol y el weeder en el mediodía floridano se me hacían ligeros a la espera de la hora de entrar en contacto con esa otra realidad!); cuando una noche en que puestos al tablero y ansiosos por el nuevo capítulo de nuestras pasadas existencias que Manuel Moreno Fraginals nos contaría, ocurrió que el llavero, como aquella primera vez lejana ya, comenzó a girar vertiginosamente sobre el alfabeto, y de repente, se puso a bailar enloquecido sobre una B y al rato, en un aparente juego con nuestra paciencia, saltó sobre una O; hasta que, ¡los ojos se nos querían salir!, completó la frase *¡Borges, soy Borges!*, y a continuación, ya sin interrupciones; *Biscayne Boulevard, yendo al sur, falo de cristal, G-44, última estación antes del cielo; allí encontrará el pirata Mandy a su añorado impresor.* Intenté preguntar, pedir más información, pero inesperadamente el llavero trazó dos círculos en espiral y se fue por el borde superior del cartón; intenté atajarlo y cayó al piso en un sonido seco.

Me sentí estafado y en un arrebato de violencia pateé la mesa, rompí el cartón y mandé al infierno a los espíritus o lo que fuera aquello que impunemente se había burlado de nosotros; o más exactamente de mí. Chema procuró calmarme; no fuera bruto, chico, creía tener idea de cómo descifrar aquel mensaje en clave, porque de eso se trataba, argumentaba entusiasta, de un mensaje en clave; ese sería el modo de expresión predilecto de los seres en el mundo astral, con más razón un tipo como Borges que ya en vida usaba habitualmente ese modo de expresión; por su oficio de conspirador. El falo de cristal, aseguraba, no podía ser otra cosa que uno de tantos edificios de vidrio en Biscayne Boulevard que se distinguiría por esa forma; si fuésemos desde Flagler hacia el sur por la avenida señalada probablemente no tardaríamos en ubicarlo; última estación antes del cielo, ¡no podía estar más claro!, se referiría al último piso, y en cuanto a la denominación G-44, aludiría a la suite; no cogiera lucha, mi socio, al otro día en la mañana sin falta exploraría la zona y si, como sospechaba, daba con la pista de la monumental morronga acristalada; me avisaría. Chema hablaba y yo no podía menos que mirarle atónito ante el cambio inesperado de su natural escepticismo; sonreí y me dije apostaría por esa carta que ahora mi amigo esgrimía desde su manga, a fin de cuentas, dentro de la ilógica, sus palabras poseían una lógica impecable.

Esa noche no dormí. A las cinco de la mañana, hora en que debía partir hacia el corte de la yerba, fue cuando vine a quedarme dormido. Mientras me hundía en lo profundo de un sueño pesado creo vagamente haber tenido tiempo aún para mandar todo al carajo. A eso de las 9 de la mañana sonó el teléfono, Chema creía tener el edificio indicado por Borges y me esperaba en el valet parking; que arrancara y no perdiera tiempo.

Adormilado todavía, y dos elevadores más tarde, caminaba con Chema por el último piso de aquel edificio como una pinga de cristal con vista a la bahía. El sol, inclemente, se levantaba frente a nuestros ojos mientras avanzábamos por el pasillo como un túnel que a la verdad ya me resultaba poco menos que infinito. Habíamos empezado bien, o eso creíamos, pues al lado del ascensor estaba la suite señalada con el G-01; coser y cantar, pensé, sólo restaría ir por el túnel hasta la G-44 y estaríamos, al fin, ante la oficina de mi añorado impresor; pero el sol, o lo que fuera aquella bola de lumbre que nos crecía en la cara, llegó a un punto en que nos impedía precisar por cuál número de la G íbamos; yo estimaba haber perdido la noción por un veintitantos; pero, a esas alturas, no sólo no veía los números, tampoco veía a Chema, oía, eso sí, sus pasos, o el eco de mis propios pasos, y su voz, o lo que suponía su voz, que ahora más grave parecía repetir mi nombre como un mantra en la ceguera de la luz.

Escrito en Miami, 6 de enero de 2005.

El fugitivo
(epílogo en la postmodernidad)

Yo era el Hombre del Neolítico, y había caminado ahora por el sendero de polvo barrido por el viento y permanecido tres días bajo aquel cobertizo de zinc. Había bebido aguardiente, en la noche para calentarme y en el día para refrescarme; tres días borracho sobre el polvo acumulado en el piso de tierra hasta la mitad de mis botas militares. El olor a polvo y a excrementos y a un trasunto de sangre, una presunción más bien, ha dominado el local atestado de trastos cubiertos por una espesa nata de telarañas; el asma ha sido una puta pegajosa empeñada en silbar una canción por un caño tupido con tumoraciones de óxido; condilomas cebados en la humedad.

Ya vienen por mí. Más allá de las torres de alta tensión se acercan los helicópteros como flotilla de abejorros en lontananza; oigo el monótono accionar de sus motores entremezclado con el ladrido de la jauría que salta en cámara lenta, o eso me parece, por sobre la cerca de piñas chamuscadas al otro lado de donde muere el sendero; los perros al caer, una parábola parda en el espacio, levantan al cielo un nubarrón de cenizas que por un instante oculta el avance de los helicópteros. El sol riela en la última botella de aguardiente. Me siento un pez calcinado por las planchas de zinc a unas cuartas de mi cabeza; la vista se me nubla, la frente me arde; la cabeza me va a estallar.

Escancio el resto del aguardiente, un cuarto quizá, en el caño de mi gaznate; una dosis adecuada, pienso, y reviento la botella contra un raíl de línea que alguna vez sirvió, supongo, para amarrar los caballos de lo que sería una hacienda. He tenido suerte y la botella rota, tomada por el cuello, es una especie de puñal.

La jauría adelanta ya por la recta del sendero que conduce al cobertizo, y sobre la jauría, los helicópteros.

Me he acomodado, quiero decir, sentado en el colchón de polvo y recostado la espalda contra un baúl de hierro que en otro tiempo pudo ser una caja de caudales. No he traído armas, pero vaciaré las tripas al primer perro que se lance a mi cuello, ley del menor esfuerzo, sólo espero, sostengo el puñal translúcido a la altura del ombligo; abrirá la barriga al bruto con la fuerza del peso en su caída. Me amaso la entrepierna; penúltimo acto de reafirmación.

El sol espejea en el pico de la botella, baila en el filo de su punta, se escora, y en un santiamén de las sombras salta a mi cara el vaho caliente del demonio. Ocurre al tercer día; la pinga parada y la tarde cayendo, cayendo.

**Escrito en Miami,
14 de enero de 2005.**

ÍNDICE

Este libro se terminó de Imprimir
en el mes de Septiembre del 2006
en Editora Centenario, S. A.
Av. Monumental No. 6, Cristo Redentor
E-mail:editcentenario@verizon.net.do
Santo Domingo, República Dominicana